C de CADAVER

colección andanzas

Libros de Sue Grafton en Tusquets Editores

ANDANZAS

A de adulterio
B de bestias
C de cadáver
D de deuda
E de evidencia
F de fugitivo
G de guardaespaldas
H de homicidio
I de inocente
J de juicio
K de Kinsey
L de ley
M de maldad
N de nudo

FÁBULA

A de adulterio
B de bestias
C de cadáver

C SUE GRAFTON
de CADAVER

Traducción de Antonio-Prometeo Moya

Título original: *«C» is for Corpse*

1.ª edición: octubre 1990
2.ª edición: octubre 1992
3.ª edición: julio 1995
4.ª edición: abril 1999

Published by Henry Holt and Company, Inc.

Diseño de la colección: Guillemot-Navares

Tusquets Editores, S.A. - Cesare Cantù, 8 - 08023 Barcelona
ISBN de la obra completa: 84-7223-147-X
ISBN: 84-7223-182-8
Depósito legal: B. 13.037-1999
Fotocomposición: Foinsa - Passatge Gaiolà, 13-15 - 08013 Barcelona
Impreso sobre papel Offset-F Crudo de Papelera del Leizarán, S.A. - Guipúzcoa
Impresión: A&M gráfic
Impreso en España

Apartó el plato y pidió café por señas. Comprendí que se estaba esforzando por recordar.

—Es que pasó algo y por eso lo supe. Hasta aquí lo recuerdo. Recuerdo incluso que estaba en un aprieto. Asustado. Pero no recuerdo por qué.

—¿Qué hay de Rick? ¿Tenía algo que ver en el asunto?

—Creo que no. No podría jurarlo, pero estoy casi seguro.

—¿Y adónde ibais aquella noche? Tal vez haya alguna relación.

Alzó los ojos. La camarera estaba junto a él, cafetera en mano. Esperó a que nos sirviera el café. La camarera se alejó y Bobby esbozó una sonrisa de inquietud.

—No sé quiénes son mis enemigos, ¿entiendes? Tampoco sé si los que me rodean están al tanto de lo que he olvidado. Y no me gustaría que nadie me oyera, por si las moscas. Sé que me comporto como un paranoico, pero no tengo más remedio.

Siguió con los ojos a la camarera mientras ésta volvía a la cocina. Dejó la cafetera en su sitio, cogió un pedido que había en el poyo del ventanuco y miró a Bobby desde donde estaba. Era joven y pareció darse cuenta de que hablábamos de ella. Bobby volvió a limpiarse la barbilla como si acabara de ocurrírsele algo.

—Ibamos a un pub que se llama La Diligencia y que está en la montaña. Suele tocar allí un grupo de *bluegrass* y Rick y yo queríamos oírles. —Se encogió los hombros—. Es posible que hubiera más cosas, pero creo que no.

—¿A qué te dedicabas entonces? ¿Qué solías hacer?

—Acababa de terminar el primer ciclo en la universidad de aquí y trabajaba por horas en el St. Terry en espera de que me aceptasen en la facultad de medicina.

La gente llama St. Terry al Hospital de Santa Teresa desde que tengo memoria.

—¿No era ya un poco tarde para eso? Tengo entendido que la solicitud de matrícula se presenta en invierno y que las admisiones se comunican en primavera.

—Bueno, yo ya la había presentado, no me habían admitido y quería probar otra vez.

—¿Qué hacías en el St. Terry?

—En realidad hacía de empleado para todo. Estuve en un montón de dependencias. Trabajé una temporada en Admisiones, rellenando formularios y papeles relacionados con los enfermos que solicitaban plaza. Pedía sus datos, preguntaba por la cobertura del seguro, cosas por el estilo. Luego estuve otra temporada en Archivos clasificando gráficos hasta que me aburrí. El último puesto que tuve fue de mecanógrafo, en Patología. Con el doctor Fraker. Un tío cojonudo. A veces me dejaba hacer experimentos en el laboratorio. En fin, ya ves, cosas normales.

—Sí, no parece que fuera peligroso —dije—. ¿Qué me dices de la universidad? ¿Podía estar relacionado con ella el lío en que estabas? ¿Con los estudiantes? ¿Los profesores? ¿Los estudios? ¿Con alguna actividad extraestudiantil en que estuvieras metido?

Por lo visto no recordaba nada y cabeceaba sin parar.

—No sé cómo. Terminé en junio y el accidente fue en noviembre.

—Pero piensas que eras el único que sabía... lo que fuese.

Recorrió el restaurante con la mirada y volvió a posarla en mí.

—Eso creo. Yo y el que quiso matarme para que tuviera la boca cerrada.

Estuve un rato mirándole, tratando de poner un poco de orden en todo aquello. Manché el café con una nube de lo que sin duda era leche sin pasteurizar. A los naturistas les encanta el sabor de los microbios y bichos afines.

—¿Sabes durante cuánto tiempo estuviste en poder de esa información, fuera cual fuese? Porque me pregunto que... si tan peligrosa era en potencia... bueno, por qué no lo contaste todo en seguida.

Me miraba con suma atención.

—¿A quién? ¿A la policía o algo así?

—Claro. Imagínate que viste a un ladrón con las manos en la masa, o que descubriste que fulano o mengano eran espías rusos... —Le fui enunciando las posibilidades a medida que las barajaba en la cabeza—. O que te enteraste de que había un complot para matar al presidente...

—¿Quieres decir que por qué no fui al primer teléfono que vi para pedir ayuda?

—Exactamente.

Hablaba con calma ahora.

—Tal vez lo hiciese. Tal vez... hostia, Kinsey, no lo sé. No tienes ni idea de hasta qué punto me cabrea esto. Al principio, durante los dos o tres primeros meses que pasé en el hospital, sólo podía pensar en el dolor. Invertía todas las energías que me quedaban en seguir vivo. No pensaba para nada en el accidente. Pero poco a poco, a medida que me fui recuperando, me puse a retroceder, a recordar lo sucedido. Sobre todo cuando me dijeron que Rick había muerto. Estuve semanas sin saberlo. No querrían que me preocupara, porque si me echaba la culpa a mí mismo, la recuperación sería más lenta. Quedé hecho una mierda en cuanto me lo dijeron. ¿Y si iba borracho y me había salido de la carretera? Tenía que averiguar lo sucedido o sabía que me volvería loco. En fin, así fui recomponiendo un poco la cosa.

—Puede que recuerdes lo demás si ya has recordado lo que me has dicho.

—Ahí está —dijo—. ¿Qué pasará si lo recuerdo todo? A veces pienso que lo único que me mantiene vivo en la actualidad es el hecho de no acordarme de más cosas.

Había alzado la voz e hizo una pausa, al tiempo que miraba por el rabillo del ojo. Su ansiedad era contagiosa y también yo me puse a mirar a mi alrededor de reojo y bajé la voz para que nadie pudiera oír lo que decíamos.

—¿Has recibido alguna amenaza concreta desde el accidente? —pregunté.

—No... no.

—¿Ningún anónimo? ¿Ninguna llamada rara?

Cabeceó.

—Pero estoy en peligro. Sé que estoy en peligro. Hace semanas que lo presiento. Necesito ayuda.

—¿Has ido a la policía?

—Desde luego. Para ellos se trató de un accidente. No tienen la menor constancia de que fuera un hecho delictivo. Que hubo un choque y el otro se dio a la fuga, sí. Saben que alguien se me puso detrás y me obligó a salirme del puente, pero ¿homicidio con premeditación? Vamos, anda. Y aun en el caso de que me creyeran, no tienen personal suficiente. No soy más que un ciudadano normal. No tengo derecho a contar con protección policial las veinticuatro horas del día.

—Podrías contratar a un guardaespaldas...

—Déjate de bobadas. Me gustaría contratarte a ti.

—No es que no quiera ayudarte. Claro que quiero. Me limito a repasar las posibilidades que tienes. Y creo que necesitas más ayuda de la que yo pueda darte.

Se echó hacia delante con vehemencia.

—Sólo quiero que averigües lo que hay en el fondo de todo esto. Que me digas lo que ocurre. Quiero saber por qué se me acosa y pararle los pies al responsable. Entonces ya no necesitaré ni policías ni guardaespaldas ni nada de nada. —Cerró la boca con fuerza y apretó los dientes. Se echó hacia atrás—. Es la leche —añadió. Se removió con inquietud y se puso en pie. Sacó de la cartera un billete de veinte dólares y lo dejó sobre la mesa. Echó a andar hacia la puerta con sus saltitos rítmicos, aunque cojeando más que de costumbre. Cogí el bolso y lo alcancé.

—No tan aprisa, caramba. Vamos a mi despacho y formalizaremos el contrato.

Me abrió la puerta para que saliese yo primero.

—Espero que tengas dinero para pagarme —le dije por encima del hombro.

—No te preocupes —dijo con una sonrisa. Giramos a la

izquierda, en dirección al parking–. Siento haberme exaltado –murmuró.

–Tranquilo. No pasa nada.

–Creo que no te lo has tomado muy en serio –dijo.

–¿Por qué no me lo habría de tomar en serio?

–Mi familia piensa que me falta un tornillo.

–Claro, por eso recurres a mí y no a tu familia.

–Gracias –dijo en voz muy baja. Me enlazó el brazo con el suyo y me lo quedé mirando. La cara se le había vuelto de color rosa y tenía lágrimas en los ojos. Se las enjugó de cualquier manera, sin mirarme. Me di cuenta por primera vez de lo joven que era. Un niño, un niño destrozado, confuso y muerto de miedo.

Nos dirigimos sin prisas hacia mi coche y advertí que algunos curiosos nos miraban y volvían la cara con lástima y aprensión. Me entraron ganas de pegarle a alguien.

2

A las dos de la tarde ya habíamos firmado el contrato; Bobby me dio un anticipo de dos mil dólares y lo dejé delante del gimnasio, donde tenía el BMW. A causa de su incapacidad tenía derecho a utilizar el espacio reservado a los minusválidos, pero vi que no había hecho uso de él. Puede que ya estuviera ocupado al llegar él o que, por obstinación, hubiese preferido recorrer los veinte metros que había entre una zona y otra.

Cuando salió del coche me incliné sobre el asiento que acababa de abandonar.

—¿Quién es tu abogado? —le pregunté. Mantuvo la portezuela abierta y ladeó la cabeza para poder verme.

—Varden Talbot, de Talbot y Smith. ¿Por qué? ¿Quieres hablar con él?

—Pregúntale si tiene inconveniente en dejarme los informes de la policía. Ganaríamos mucho tiempo.

—De acuerdo, lo haré.

—Ah, es probable que empiece por tus parientes más cercanos. Tal vez tengan alguna hipótesis en relación con lo sucedido. ¿Te puedo llamar más tarde para que me digas cuál es el mejor momento para hablar con ellos?

Hizo una mueca. Mientras nos dirigíamos a mi despacho me había contado que a causa de su incapacidad se había visto obligado a volver temporalmente con la familia, cosa que no le había hecho ninguna gracia. Sus padres se habían divorciado hacía unos años y la madre había vuelto a casarse; en total, era su tercer casamiento. Según parece, Bobby no se llevaba bien con su último padrastro, aunque por lo visto le gustaba su hermanastra, una joven de diecisiete años que se llamaba Kitty. Yo quería hablar con los tres. Casi todos mis casos empiezan con gestiones rutinarias, pero aquel parecía diferente desde el comienzo mismo.

—Se me ocurre algo mejor —dijo Bobby—. Déjate caer por casa esta tarde. Mamá ha invitado a unos amigos para tomar unas copas a eso de las cinco. Es el cumpleaños de mi padrastro. Así podrás conocerlos a todos.

No acababa de decidirme.

—¿Estás seguro de que no pasará nada? Puede que a tu madre no le guste mi presencia en una ocasión tan especial.

—No te preocupes. Le avisaré con tiempo. No pondrá pegas. ¿Tienes un lápiz a mano? Es para que tomes nota de la dirección.

Desenterré el cuaderno y el bolígrafo del fondo del bolso y apunté los datos.

—Llegaré a eso de las seis —dije.

—Estupendo. —Cerró la portezuela del coche y se alejó cojeando hacia el suyo. Arranqué y me dirigí a casa.

Vivo en lo que antaño fue un garaje monoplaza y que en la actualidad es un estudio de doscientos dólares al mes y unos quince metros cuadrados, y que hace las veces de sala de estar, dormitorio, cocina, cuarto de baño, despacho y lavandería. Todo lo que poseo es multiuso y pequeñito. Tengo un juego de frigorífico, fregadero y cocina, una lavadora en miniatura que se lo traga todo, un sofá que se convierte en cama (aunque sólo en contadas ocasiones me tomo la molestia de abrirlo) y un escritorio que a veces transformo en mesa de comedor. He organizado mi vida en función del trabajo y mi domicilio, con el paso del tiempo, ha ido reduciéndose en consecuencia. Durante una temporada viví en un remolque, pero acabó por parecerme excesivo. Salgo de la ciudad con frecuencia y me resisto a pagar por un espacio que no utilizo. Puede que un día reduzca mis necesidades a un saco de dormir que podría guardar en el asiento trasero del coche, así eliminaría de un plumazo la inevitabilidad del alquiler. En la actualidad es poco lo que considero imprescindible. No tengo animales ni plantas. Tengo amigos, pero no doy fiestas. Mis pasatiempos, en caso de que tenga alguno, consisten en limpiar mi pequeña semiautomática y analizar pruebas documentales. Mi vida no es un lecho de rosas, pero pago puntualmente los recibos y facturas, tengo ahorrado un dinerillo y dispongo de un seguro de enfermedad que cubre los riesgos del oficio. Me gusta vivir como vivo, aunque procuro no jactarme demasiado al respecto. Cada seis u ocho meses tropiezo con un hombre que me deja sexualmente temblando, pero entre aventura y aventura practico el celibato, que tampoco me parece ningún mérito. Después de dos fracasos matrimoniales, he de andar con la guardia subida, lo mismo que las bragas.

Mi casa está en una calle pequeña y flanqueada de palmeras, a una manzana de la playa, y mi casero es un hombre que se llama Henry Pitts y que ocupa la vivienda principal del solar. Tiene ochenta y un años, es panadero jubilado y complementa sus ingresos actuales preparando artículos de panadería y pastelería que cambia con los comerciantes del barrio por productos y servicios. Abastece de pastas de té a las ancianitas del vecindario y en los ratos libres compone unos crucigramas del copón. Es muy atractivo: alto, esbelto y de piel bronceada, tiene una asombrosa cabellera cana que de tan suave parece la pelusilla de un recién nacido, y un rostro afilado y aristocrático. Tiene los ojos malva, del color de las ipomeas, e irradian inteligencia. Es afectuoso, dulce y humano. No habría tenido que sorprenderme por tanto que al llegar yo lo viese en compañía de la «beibi» que se estaba tomando con él un julepe de menta en el jardín.

Había estacionado el coche enfrente, como de costumbre, y eché a andar hacia la puerta de mi casa, que está en la parte trasera. Mi cubículo da al pintoresco escenario que constituye el jardín, donde hay césped, un sauce llorón, rosales, dos naranjos enanos y una zona empedrada para tomar el fresco. Me vio en el momento en que salía por su puerta trasera con una bandeja de servicio.

—Ah, hola, Kinsey. Bueno, ven. Quiero presentarte a alguien —dijo.

Seguí con la mirada la dirección de la suya y vi a una señora estirada en una tumbona. Tendría sesenta y tantos años, era regordeta y ostentaba una corona de rizos castaños que habían pasado por el tinte. Tenía el cutis arrugado como un mapa y se maquillaba con gran habilidad. Lo que me impresionó fueron sus ojos: muy grandes, de un castaño aterciopelado y, durante una fracción de segundo, viperinos.

Henry dejó la bandeja en una mesa redonda de metal que se alzaba entre las tumbonas.

—Te presento a Lila Sams —dijo, y señalándome con la cabeza—: Mi inquilina, Kinsey Millhone. Lila acaba de mudarse a Santa Teresa, le ha alquilado una habitación a la señora Lowenstein, aquí en la calle.

La señora me alargó la mano con un cascabeleo de pulseras rojas de plástico mientras hacía amago de levantarse.

—No se levante, por favor —dije, acercándome a ella—. Bienvenida al barrio. —Nos dimos la mano con una sonrisa de cordialidad que, en su caso, vino a reemplazar el destello frío que advirtiese en su mirada y que hizo que me preguntara si no habría sido víctima de una confusión—. ¿De dónde es usted?

—De aquí, de allí, de todas partes —dijo mirando a Henry con picardía—. No sé cuánto tiempo voy a estar por aquí, pero Henry hace que todo sea... maravillooooso.

Llevaba un vestido estival, de algodón y escotado, con un estampado geométrico de color verde y amarillo sobre fondo blanco. Sus pechos eran sendos talegos de harina que hubieran perdido parte del contenido por entre las costuras. Repartía la gordura entre la delantera y la cintura, mientras que sostenía la reciedumbre de las caderas y los muslos con unas piernas todavía de buen ver y unos pies de aspecto elegante. Calzaba zapatillas de lona roja, con suela de tacón incorporado, y lucía unos pendientes de plástico rojo y que parecían botones. Fue como si contemplase un cuadro, porque mi mirada volvió al punto de partida. Quería observar sus ojos otra vez, pero en aquel momento ella miraba la bandeja que Henry le ofrecía.

—Ay, Henry, ¿qué es esto? ¡Eres de lo que no hay!

Henry le había preparado una bandeja de canapés. Es una de esas personas capaces de entrar volando en una cocina y preparar unos tentempiés para chuparse los dedos con un par de latas cualesquiera. Yo no tengo en la despensa más que una caja de copos de cereales con bichos.

Lila juntó las uñas rojas a modo de pico de grulla. Cogió un canapé y se lo trasladó a la boca. Parecía una tostada pequeña con un trocito de salmón ahumado y una pizca de mayonesa derretida.

—Mmmmm, está *delicioso* —dijo con la boca llena, y a continuación se lamió los dedos, uno por uno. Ostentaba varios anillos de aire tosco, con diamantes y rubíes engastados, y una esmeralda cuadrada que parecía un sello de correos con diamantes a los lados. Henry me ofreció la bandeja de los canapés.

—Prueba uno mientras te preparo un julepe de menta.

Negué con la cabeza.

—Mejor no. Tengo trabajo y quisiera correr un poco.

—Kinsey es detective —dijo Henry a su invitada.

Los ojos de Lila se dilataron y parpadearon con asombro.

—¡Virgen Santa! ¡Qué interesante! —Se expresaba de un modo hiperbólico, con más vehemencia de la que pedía la situación. Ella no me despertaba a mí tanto entusiasmo y estoy segura de que se daba cuenta. Me caen simpáticas las señoras mayores en términos generales. Para el caso, me caen simpáticas casi todas las mujeres. Las encuentro abiertas y comunicativas por naturaleza, y graciosamente sinceras cuando se ponen a hablar de hombres. Aquella era de la vieja escuela: dicharachera y coquetona. Se había mostrado desdeñosa nada más verme.

Miró a Henry y dio unas palmaditas en la lona de la tumbona.

—Anda, ven, siéntate aquí, niño travieso. No me gusta que seas tan servicial conmigo. ¿Puede usted creerlo, Kinsey? Que si toma esto, que si toma aquello, no ha parado de mimarme en toda la tarde. —Satisfecha, se inclinó sobre la bandeja de los canapés—. Oh, ¿de qué es éste?

Observé a Henry, medio esperando que me dirigiese una mirada de compromiso, pero acabó por sentarse en la tumbona, como se le había ordenado, y por recorrer la bandeja con los ojos.

—Es de ostra ahumada. Y éste, de queso graso con salsa india agridulce. Te gustará. Toma.

A punto estuvo de ponerle el canapé en la boca, pero ella, de un manotazo, le hizo cambiar de idea.

—Quita de ahí. Cómetelo tú. Quieres matarme, y lo que es peor, ¡vas a conseguir que engorde!

Al ver juntas las dos cabezas ancianas noté que la cara se me crispaba en una mueca de malestar. Henry tiene cincuenta años más que yo y nuestras relaciones han sido siempre de lo más casto y decoroso, pero me pregunté si se sentiría como yo en aquellos instantes en las raras ocasiones pretéritas en que había visto salir a un hombre de mi casa a las seis de la madrugada.

—Nos veremos más tarde, Henry —dije, echando a andar hacia mi puerta. Creo que ni siquiera me oyó.

Me puse una camiseta de tirantes y unos tejanos de pernera recortada, me até las zapatillas de correr y volví a la calle con la máxima discreción. Recorrí una manzana a paso rápido hasta llegar a Cabana, la ancha avenida que discurre en sentido paralelo a la playa, y me lancé al trote. Hacía calor y en el cielo no se veía ni una sola nube. Eran las tres de la tarde y hasta el oleaje parecía lánguido y perezoso. La brisa que soplaba del océano venía cargada de sal y la playa estaba cubierta por una alfombra de desperdicios. Ni siquiera sé por qué me molestaba en corretear. Estaba desentrenada, jadeaba, resoplaba, y los pulmones se me pusieron al rojo vivo antes de recorrer medio kilómetro. Me dolía el brazo izquierdo y tenía las piernas como si fueran de madera. Corro siempre que trabajo en un caso y creo que por eso lo hice aquel día. Corrí porque era el momento de correr y porque necesitaba sacudirme el óxido y el agarrotamiento de las articulaciones. Aunque en esto de correr soy muy escrupulosa a la hora de cumplir con el tiempo y las distancias, jamás me ha entusiasmado el deporte. Pero no se me ocurre ninguna otra forma de sentirme bien.

El primer kilómetro y medio fue un martirio chino y maldije todos y cada uno de los minutos que invertí en recorrerlo. Al llegar a los tres kilómetros sentí que las hormonas endorfinas entraban en acción, y al llegar a los cinco comprendí que ya no me quedaban ni fuerzas ni ganas de continuar. Consulté la hora. Eran las tres y treinta y tres. Nunca he dicho que fuera rápida. Reduje la marcha a paso normal mientras chorreaba sudor por todos los poros. Ya me pasarían factura las agujetas al día siguiente, de eso estaba segura, pero por el momento me sentía ágil, con los músculos blandos y calientes. Suelo volver a casa andando para refrescarme.

Cuando llegué, el sudor, que se me había enfriado, me producía escalofríos y suspiraba por una ducha caliente. En el jardín no había ni un alma, los vasos del julepe estaban vacíos y juntos. La puerta trasera de Henry estaba cerrada y habían bajado las persianas. Entré en casa con la llave que suelo atarme al cordón de la zapatilla.

Me lavé la cabeza, me afeité las piernas, me puse una bata y estuve trasteando un rato, limpiando la cocina y despejando el escritorio. Al terminar me puse unos pantalones, un blusón largo, sandalias y colonia. A las siete menos cuarto cogí el bolso grande de piel, salí y cerré con llave.

Consulté la dirección de Bobby y doblé a la izquierda al llegar a Cabana, hacia el refugio de los pájaros, por la carretera serpeante de Montebello, donde se dice que hay más millonarios por kilómetro cuadrado que en ninguna otra urbanización del país. No sé si será verdad o no. En Montebello hay gente de todos los pelajes. Aunque las grandes propiedades se encuentran hoy entremezcladas con las casas de clase media, la impresión general que produce el conjunto es que allí hay dinero, un dinero amasado y conservado con el mayor escrúpulo, y un estilo con solera que se remonta a una época en que la riqueza y asuntos afines se gestionaban con discreción y en que la ostentación material se reservaba para los de la misma categoría económica. Los ricos actuales no son más que unos horteras que imitan a sus homólogos de la California antigua. Montebello también tiene sus «barrios bajos», una curiosa hilera de chabolas de chapa que se venden a 140.000 dólares la unidad.

La dirección que me había dado Bobby estaba en West Glen, una avenida estrecha y sombreada por eucaliptos y sicómoros, y flanqueada por valles de piedra labrada a mano que se curvaban hacia unas mansiones demasiado alejadas de la calle para que las viesen los conductores que pasaban. De tarde en tarde, un portal permite entrever los majestuosos edificios del fondo, pero en términos generales West Glen parece discurrir entre robledales sin otro objeto que tomar el sol a trechos, aspirar la fragancia del espliego y escuchar a los abejorros que ronronean entre los geranios de color rosa subido. Ya eran las seis y aún faltaba un par de horas para que anocheciera.

Encontré el número que buscaba y doblé en primera por un sendero. A la derecha vi tres cobertizos albeados con adornos de yeso y que parecían fruto de la habilidad arquitectónica de los tres cerditos. Miré por todas partes pero no vi ningún sitio donde aparcar. Seguí avanzando con la esperanza de encontrar una zona de estacionamiento al otro lado de la curva que tenía delante. Miré atrás mientras me preguntaba por qué no había ningún otro vehículo a la vista y cuál de los bungalows sería el de la familia de Bobby. Me sentí intranquila durante un segundo. Bobby me había dicho *aquella* tarde, ¿no? Pero, ¿y si me había equivocado de día? Me encogí de hombros. En fin. Peores confusiones he sufrido en la vida, aunque no se me ocurrió ninguna en aquellos momentos. Tomé la curva y busqué un sitio para aparcar. Pisé el freno inconscientemente y el coche se detuvo tras patinar un poco. «¡Puta mierda!», murmuré.

El camino se había transformado en un patio ancho y pavimentado. Enfrente de mí se alzaba una casa. El corazón me dijo que Bobby Callahan vivía allí y no en los hogareños habitáculos de la entrada. Estos eran, sin duda, las dependencias de la servidumbre. La casa de verdad era lo otro.

Era tan grande como el instituto donde yo había hecho la segunda enseñanza y probablemente la había diseñado el mismo arquitecto, un hombre llamado Dwight Costigan, fallecido ya, y que con su solo esfuerzo había reavivado Santa Teresa en el curso de sus cuarenta años y pico de actividad profesional. El estilo, si no me equivoco, es un *revival* del colonial español. Admito que me he burlado de las paredes albeadas con adornos de yeso y estuco y de las techumbres de tejas rojas. Y que los arcos y las bunganvillas, y las vigas y balcones envejecidos artificialmente me han merecido mucho desprecio, pero jamás los había visto conjugados de aquel modo.

La parte central del edificio constaba de dos plantas y estaba flanqueada por sendos pórticos. Arcos y más arcos, sustentados por columnas de gran elegancia. Vi grupos de palmeras, portales con motivos escultóricos, ventanas de tracería. Había incluso un campanario, como en una misión antigua. ¿No había saltado Kim Novak de un sitio parecido? Parecía una mezcla de monasterio y decorado cinematográfico. En el patio había cuatro Mercedes estacionados, igual que en los publirreportajes de colores metalizados, y la fuentecilla del centro arrojaba un chorro de agua de cinco metros de altura.

Aparqué lo más a la derecha que pude y me inspeccioné la indumentaria. Los pantalones, ahora que me daba cuenta, tenían una mancha en la rodilla que sólo podía ocultar agachándome de modo que el blusón la tapara. El blusón estaba bien, era de gasa negra, de escote cuadrado y bajo y mangas largas, y me lo ceñía con un cinturón que hacía juego. Durante un segundo acaricié la idea de volver a casa para ponerme otra ropa, pero caí en la cuenta de que en casa no tenía nada más presentable. Me volví hacia el asiento trasero y rebusqué entre la surtida colección de trebejos y cachivaches que suelo dejar allí. Mi coche es un Volkswagen beige de cuatro asientos, de esa especie que denominan Cucaracha y que resulta genial para vigilar a la gente en casi todos los barrios. Para pasar inadvertida allí habría tenido que alquilar una limusina de las grandes. No me cabía la menor duda de que cada jardinero tenía un Volvo.

Aparté los libros jurídicos, los archivadores, el estuche de herramientas, el maletín donde guardo con llave la pistola y... ¡coño!, lo que buscaba: unos pantis viejos y útiles como filtro de café en caso de emergencia. Encontré en el suelo unos zapatos negros de tacón alto que había comprado cierta vez que había querido hacerme pasar por puta en un lugar de mala muerte de Los Angeles. Cuando llegué al lugar de mala muerte, descubrí que todas las putas visibles iban vestidas como colegialas y renuncié al disfraz.

Arrojé las sandalias al asiento trasero y me quité los pantalones. Me puse los pantis, saqué brillo a los zapatos con saliva y me los calcé. Cogí el cinturón del blusón y me lo até con un nudo exótico alrededor del cuello. Encontré una cajita de rímel en el fondo del bolso y me repasé la cara tras inclinar el espejo retrovisor para poder verme. Tenía una pinta algo rara, pero ¿se darían cuenta los de dentro? Excepción hecha de Bobby, ninguno de los que estaban en la casa me había visto nunca. Eso esperaba.

Salí del coche y traté de no perder el equilibrio. No llevaba tacones tan altos desde que iba a primera enseñanza y jugaba a disfrazarme con la ropa vieja de mi tía. Sin cinturón, el blusón me llegaba hasta medio muslo y el tejido, que era ligerísimo, se me pegaba a las caderas. Si me ponía delante de la luz se me transparentarían las bragas del biki-ni, pero me daba igual. Ya que no puedo permitirme el lujo de vestir bien, por lo menos me invento trucos para que no se note. Aspiré una profunda bocanada de aire y avancé taconeando hacia la puerta.

3

Llamé al timbre. Oí cómo resonaba por toda la casa. Abrió una doncella negra con un uniforme blanco que parecía de enfermera. Me dolían tanto los pies que me entraron ganas de arrojarme en sus brazos para que me llevara al botiquín, pero me limité a decirle mi nombre y a murmurarle que Bobby Callahan me esperaba.

—Ah, sí, la señorita Millhone. Pase, pase, por favor.

Se hizo a un lado y accedí al vestíbulo. El techo tenía aquí dos pisos de altura y la luz se filtraba en lo alto por una serie de ventanas paralelas a la ancha escalinata de piedra que se curvaba hacia la izquierda. El suelo era de baldosas de color rojo apagado y estaba más limpio y brillante que una patena. Vi alfombras persas de dibujo borroso. Vi tapices que colgaban de barras ornamentales de hierro forjado y que parecían armas antiguas. La temperatura ambiente era ideal, hacía fresco, y una nutrida guarnición de flores que había en una maciza mesa rinconera de mi derecha perfumaba el aire con su aroma. Me dio la impresión de estar en un museo.

La doncella me condujo a una sala de estar tan grande que las personas que había al fondo me parecieron los enanitos del bosque. La chimenea de piedra debía de tener tres metros y pico de anchura por cuatro de altura, y el hogar era tan grande que habría podido asarse en él una vaca. Los muebles parecían cómodos, ni recargados ni pequeños. Los cuatro sofás parecían sólidos, y los sillones, grandes y mullidos y de brazos anchos, me recordaron, no sé por qué, los asientos de primera clase de un avión. La decoración no conjugaba ningún color en especial y me pregunté si sería únicamente la clase media la que contrataba especialistas para que los detalles armonizaran.

Descubrí a Bobby, que, loado sea Dios, se dirigió hacia mí cojeando. Por lo visto había leído en mi expresión que no estaba preparada para el espectáculo.

—Lo siento —dijo—. Habría tenido que avisarte. Te prepararé una copa. ¿Qué prefieres? Hay vino, pero no te digo la marca porque pensarás que queremos presumir.

—Me gusta el vino —dije—. Y me encantan los que se toman para presumir.

Una doncella, no la que me había abierto, sino otra especialmente adiestrada para servir en las salas de estar, se anticipó a Bobby y se nos acercó con un par de copas llenas. Deseaba de todo corazón no hacer el ridículo derramándome la bebida en la pechera o enganchándome un tacón en la alfombra. Bobby me tendió una copa y tomé un sorbo.

—¿Te criaste aquí? —le pregunté. Me costaba imaginar una habitación, que parecía una nave de iglesia, con juguetes desmontables, cajitas sorpresa con música y camiones a pilas. De pronto me concentré en lo que me ocurría en la boca. Aquel vino iba a estropearme un paladar que ya tenía acostumbrado al matarratas que venden en envases de cartón.

—La verdad es que sí —dijo mirando alrededor con curiosidad, como si el absurdo acabara de ocurrírsele a él—. Tenía niñera, claro.

—Claro, claro, por supuesto. ¿A qué se dedican tus padres? ¿O debería imaginármelo?

Me dedicó una sonrisa asimétrica y se limpió la barbilla, como con timidez, según me pareció.

—Mi abuelo materno fundó a principios de siglo una gran empresa de productos químicos. Creo que la casa terminó patentando la mitad de los artículos básicos para la civilización. Enemas, colutorios y aparatos anticonceptivos.

Y montones de medicinas caseras. Y disolventes, aleaciones, productos para la industria. La lista es larga.

—¿Hermanos?

—Sólo yo.

—¿Dónde está tu padre en este momento?

—En el Tibet. Ultimamente le ha dado por el montañismo. El año pasado estuvo viviendo en la India, en un *ashrama.* Su alma se desarrolla al ritmo que le permite el crédito de la Visa.

Me llevé la mano hueca al oído.

—¿Será hostilidad lo que percibo en lontananza?

Se encogió de hombros.

—Se puede permitir el lujo de tontear con los Grandes Misterios por el acuerdo que firmó con mi madre cuando se divorciaron. Va de peregrino espiritual, pero en el fondo lo único que hace es montárselo guapo. Yo me llevaba bien con él hasta que volvió, poco después de mi accidente. Se sentaba junto a mi cama, me sonreía con amabilidad y me decía que ser minusválido es una de las cosas por las que hay que pasar en esta vida. —Me miró con sonrisa afectada—. ¿Sabes lo que dijo cuando supo que Rick había muerto? «Mejor. Eso quiere decir que ha terminado su obra.» Me puse tan mal que el doctor Kleinert le prohibió que volviera a visitarme y se fue a recorrer a pie la cordillera del Himalaya. No solemos tener noticias suyas, pero me da lo mismo, creo.

Se descontroló de repente. Las lágrimas le anegaron los ojos y luchó por dominarse. Se quedó mirando a un grupo que había junto a la chimenea y seguí su mirada. Habría unas diez personas en números redondos.

—¿Quién es tu madre?

—La del vestido de color crema. El tipo que está inmediatamente después de ella es Derek, mi padrastro. Hace ya tres años que se casaron, pero me parece que no funciona la cosa.

—¿Y eso?

Pareció meditar varias respuestas, pero al final se limitó a cabecear un poco y a guardar silencio. Se volvió para mirarme.

—¿Preparada para las presentaciones?

—Dime antes quiénes son los demás. —Me estaba yendo por las ramas, pero no podía evitarlo.

Dirigió una mirada apreciativa al conjunto.

—No recuerdo algunos nombres. A la mujer de azul no la conozco de nada. El individuo alto de pelo gris es el doctor Fraker, el patólogo para el que trabajaba antes del accidente. Está casado con la pelirroja que habla con mi madre. Mi madre conoce a todos los médicos de aquí, está en el consejo de administración del St. Terry. El gordicalvo es el doctor Metcalf, y el tipo con el que está hablando es el doctor Kleinert.

—¿Tu psiquiatra?

—El mismo. Piensa que estoy loco, pero es igual porque cree que puede curarme. —En su voz se había filtrado un dejo de amargura y me di cuenta de la cantidad de inquina que tenía que tragar día tras día.

Como obedeciendo a una indicación, el doctor Kleinert se dio la vuelta, nos miró con fijeza y acto seguido desvió la mirada. Le eché cuarenta y tantos años, tenía el pelo gris, ondulado y algo raleante, y una expresión de tristeza.

Bobby esbozó una sonrisita de satisfacción.

—Le dije que iba a contratar a un detective, pero no se imagina que seas tú, de lo contrario ya estaría aquí edificándonos con un discursito.

—¿Y tu hermanastra? ¿Dónde está?

—En su cuarto, seguramente. No es muy sociable.

—¿Y la rubita? ¿Quién es?

—La mejor amiga de mi madre. Es enfermera de quirófano. Anda, ven —dijo con impaciencia—. Así lo verás todo de cerca.

Nos dirigimos juntos hacia la chimenea, donde habían acabado por reunirse todos. La madre se volvió para mirarnos y las dos mujeres que estaban con ella se detuvieron en plena conversación para ver qué la había distraído.

Para ser la madre de un chico de veintitrés años se conservaba joven, era delgada, estrecha de caderas y tenía las piernas largas. Tenía una mata de pelo lisa y espesa de color castaño claro que no acababa de llegarle hasta los hombros. Los ojos eran pequeños y hundidos, la cara alargada, la boca ancha. Tenía manos bonitas, de dedos largos y delgados. Vestía una blusa de seda de color crema y una falda larga de lino que se le clavaba en la cintura. Se adornaba con joyas de oro, con cadenitas en el cuello y en la muñeca. La mirada que dirigió a Bobby fue intensa y profunda, e incluso yo noté el esfuerzo que hacía para aceptar la presencia del hijo lisiado. Se volvió a mí con una sonrisa cortés y me dio la mano.

—Soy Glen Callahan. Usted debe ser Kinsey Millhone. Bobby nos dijo que se quedaría un rato con nosotros. —Tenía la voz baja y gutural—. No se apure, charlaremos dentro de un instante y verá qué bien se lo pasa.

Le estreché la mano, que me llamó la atención por lo huesuda y caliente que la tenía. El apretón que me propinó fue de hierro. Se volvió a la mujer de su derecha con objeto de presentarnos.

—Esta es Nola Fraker.

—Hola, qué tal —dije cuando nos dimos la mano.

—Y Sufi Daniels.

Volvimos a cambiar unas frases de presentación. Nola era pelirroja, tenía la piel clara y fina, unos ojos azules luminosos y llevaba un vestido granate sin mangas con un escote en forma de uve que le desnudaba la carne desde el cuello hasta la cintura. Mejor que evitara las flexiones y los movimientos bruscos. Me dio la sensación de que la conocía de no sé dónde. Puede que hubiera visto su foto en los ecos de sociedad o en un lugar parecido. Las campanillas del recuerdo habían repicado de todos modos y me pregunté cuál sería el motivo.

La otra, Sufi, era pequeñita y deforme hasta cierto punto, ya que tenía el tórax ancho y la espalda combada. Llevaba un vestido vaporoso de rayón malva que no parecía haber sido testigo de muchos vapores. Tenía el pelo rubio, fino y raleante, tal vez demasiado largo para favorecerla.

Después de una pausa prudencial, las tres, con gran alivio de mi parte, reanudaron la charla del principio. La verdad es que yo no sabía qué decirles. Nola hablaba de un retalito de treinta dólares que estaba loca por lucir en una cata de vinos que iba a celebrarse en Los Angeles.

—Recorrí todas las tiendas de Montebello, pero fue una tontería. Yo no quería cuatro dólares por un vestido. ¡No pagaría ni *dos*! —dijo con determinación.

Aquello me chocó. Parecía mujer a la que le gustasen las extravagancias. A no ser que, en vez de deducir esta clase de conclusiones, me las invente. La idea que tengo de las mujeres adineradas es que van a Beverly Hills para que les depilen las piernas a la cera, para encargar un par de chucherías en Rodeo Drive y para asistir a comilonas benéficas de 1.500 dólares el cubierto. No me imaginaba a Nola Fraker escarbando en los expositores de las rebajas en nuestro Cósetelo Tú Misma. Puede que de niña fuese pobre y no acabara de acostumbrarse a ser la mujer de un médico.

Bobby me cogió de un brazo y me condujo hacia los hombres. Me presentó a su padrastro, Derek Wenner, y acto seguido, uno tras otro, a los doctores Fraker, Metcalf y Kleinert. Antes de que me diera cuenta me arrastraba en dirección al vestíbulo.

—Vamos arriba. Te presentaré a Kitty y luego te enseñaré el resto de la casa.

—Bobby, quiero hablar con esa gente —dije.

—No lo hagas. Son unos cretinos que no tienen ni pajolera idea.

Al pasar junto a una mesa rinconera, fui a dejar el vaso, pero Bobby se opuso.

—No lo sueltes —dijo.

Cogió una botella de vino sin descorchar de un cubo de plata con hielo y se la puso bajo el brazo. Se movía a velocidad pasmosa a pesar de la cojera, tanto que el taconeo de mis zapatos me pareció zafio y plebeyo mientras avanzábamos hacia la entrada. Hice un alto para quitármelos y lo alcancé. Había algo en su conducta que me daba ganas de reír. Estaba acostumbrado a hacer lo que se le antojaba entre personas que a mí me habían enseñado a respetar. A mi tía le habría impresionado aquella pequeña reunión, pero a Bobby parecía traerle sin cuidado. Subimos las escaleras, Bobby apoyándose en la pulida balaustrada.

—¿No utiliza tu madre el apellido Wenner? —le pregunté.

—No, Callahan es en realidad su apellido de soltera. Lo adopté cuando ella y mi padre se divorciaron.

—No es frecuente hacer eso, ¿verdad?

—A mí no me lo parece. El es un capullo. De este modo, mi vínculo con él no es más estrecho que el de mi madre.

La galería del primer piso trazaba una semicircunferencia cuyos extremos se prolongaban como en una herradura. Cruzamos una puerta de arco que se abría a la derecha y accedimos a un pasillo ancho y flanqueado de habitaciones. Casi todas las puertas estaban cerradas. La luz diurna comenzaba a irse y la parte superior de la casa estaba a oscuras. Una vez investigué un homicidio en un colegio femenino que tenía la misma atmósfera. Daba la impresión de que se le había dado un uso institucional a la casa, y, en consecuencia, parecía desangelada e impersonal. Bobby llamó a la tercera puerta de la derecha.

—¿Kitty?

—Un segundo —dijo una voz femenina.

Bobby esbozó una sonrisa espontánea.

—Creo que la hemos cogido con el canuto en la mano.

¿Y por qué no?, me dije con un encogimiento de hombros. Tenía diecisiete tacos.

Se abrió la puerta y la muchacha nos miró con suspicacia.

—¿Quién es ésta?

—Vamos, Kitty, no seas muermo.

La chica se hizo a un lado con indiferencia. Entramos y Bobby cerró la puerta. La pobre estaba anémica; era alta y delgada como un fideo, y las rodillas y los codos le sobresalían como a los muñequitos de plástico. Tenía la cara demacrada; iba descalza y vestía un pantalón corto y una camiseta ajustada del tamaño de un calcetín de ejecutivo, de esos de una sola talla.

—Pero ¿qué miras? —me dijo. Como no parecía esperar respuesta, no me molesté en darle ninguna. Se dejó caer en una cama de matrimonio sin hacer, cogió un cigarrillo y lo encendió. Tenía las uñas mordisqueadas casi hasta la raíz. El cuarto estaba pintado de negro y parecía una parodia de la típica habitación de las adolescentes. Había muchos carteles en las paredes y animales de peluche, pero el conjunto poseía un aire de pesadilla. Los carteles eran de grupos de rock chorreantes de maquillaje, de pinta siniestra y actitud despectiva y estaban llenos de detalles misóginos. Los animales de peluche se aproximaban más al modelo sátiro que a los perritos y osos tradicionales. En el aire flotaba un perfume de *eau* de drogota y calculé que había fumado tanta hierba en aquel cuarto que para colocarse bastaba con pegar la nariz al edredón.

A Bobby parecía gustarle la actitud desdeñosa de la chica. Me acercó una silla tras tirar al suelo, sin más ceremonias, la ropa que había encima. Tomé asiento y él se tumbó a los pies de la cama, cogiéndose el tobillo izquierdo con la mano. Los dedos se le traslaparon como si en vez del tobillo ciñese con ellos la cintura de la muchacha. Me recordaron a Hansel y Gretel. Puede que Kitty tuviera miedo de acabar en la cazuela si engordaba. A mí me pareció que, de seguir así, iba a acabar antes en una caja de pino, y eso sí que daba miedo. La chica se echó hacia atrás y se apoyó en ambos codos, mientras me dirigía una débil sonrisa desde el otro extremo de sus piernas larguísimas y frágiles. Se le veían todas las venas, como en esas ilustraciones anatómicas de las enciclopedias a las que se superpone una lámina transparente. Le veía hasta las articulaciones de los huesos de los pies, unos pies con unos dedos que parecían prensiles.

—Bueno, ¿y qué pasa abajo? —preguntó a Bobby, pero sin dejar de mirarme. Hablaba como si tuviera la lengua gorda y la mirada se le desenfocaba cada dos por tres. ¿Estaba borracha o se había cascado unas pastillas?

—Allí están, empinando el codo, como siempre. Y hablando del Papa de Roma, he traído vino —dijo Bobby—. ¿Tienes un vaso?

Kitty se estiró hasta la mesita de noche, rebuscó entre los mil objetos que contenía y cogió un vaso con un pegote verde en el fondo, de ajenjo o crema de menta. Se lo alargó. Al caer en el recipiente, el vino se coloreó con los restos del licor.

—Bueno, ¿y quién es la chorba esta?

Me repatea que me llamen chorba. Bobby se echó a reír.

—Perdona, es Kinsey, la detective de quien te hablé.

—Me lo imaginaba. —Sus ojos volvieron a posarse en mí, con unas pupilas tan dilatadas que fui incapaz de distinguir el color del iris—. ¿Y qué te parece la fiestecita? Bobby y yo somos los anormales de la familia. Vaya par, ¿no?

La niña empezaba a ponerme nerviosa. No era lo bastante lista o rápida para avalar la pose de tía dura que fingía y la tensión se notaba, como cuando vemos a esos cómicos en solitario que cuentan chistes más viejos que la tos.

—El doctor Kleinert está abajo —dijo Bobby, cambiando de tema.

—Ah, el doctor Terror. ¿Qué piensas de él? —Dio una chupada al cigarrillo, fingiendo indiferencia, aunque intuí que sentía una curiosidad sincera por conocer mi respuesta.

—No he hablado con él —dije—. Bobby quería que te conociese a ti antes.

Se me quedó mirando de hito en hito y le devolví la

mirada. Recuerdo que en sexto hacía cosas así cada vez que veía a mi peor enemigo, Tommy Jancko. He olvidado ya por qué nos caíamos gordos, pero sostenernos la mirada era nuestro duelo favorito. Se volvió hacia Bobby.

—Quiere meterme en un hospital. ¿Te lo había contado?

—¿Y vas a ir?

—¡Y una porra! ¿Para que me claven un montón de agujas? No, gracias. No me interesa. —Arrastró las largas piernas hasta el borde de la cama y se incorporó. Se acercó a un tocador de poca altura y espejo enmarcado en oro. Se miró la cara y se volvió hacia mí—. ¿Crees que estoy flaca?

—Mucho.

—¿En serio? —La idea pareció entusiasmarla y se puso de lado para mirarse el inexistente trasero. Volvió a fijarse en la cara y se observó mientras daba una chupada al cigarrillo. Se encogió de hombros. Desde su punto de vista, todo estaba bien.

—¿Por qué no hablamos del intento de asesinato? —dije.

Kitty retrocedió hasta la cama y volvió a tumbarse.

—Alguien le anda detrás. Eso es innegable —dijo Kitty. Apagó el cigarrillo y dio un bostezo.

—¿Cómo lo sabes?

—Vibraciones.

—Aparte de las vibraciones —dije.

—Joder, si tampoco nos crees tú... —dijo. Se puso de lado, se recostó en las almohadas y dobló un brazo para apoyar la cabeza.

—¿También a ti te andan detrás?

—No, qué va. Sólo a él.

—Pero ¿por qué? No digo que no os crea. Pero busco un punto de partida y quisiera que me lo contarais todo.

—Tendría que meditar un rato —dijo y al instante se quedó inmóvil.

Tardé unos minutos en darme cuenta de que se había quedado frita. ¿Qué le pasaba a aquella muchacha, Señor?

4

Aguardé en el pasillo con los zapatos en la mano mientras Bobby la tapaba con una manta, salía de puntillas y cerraba en silencio.

—¿Qué le pasa? —dije.

—Está bien, pero anoche estuvo despierta hasta muy tarde.

—Pero ¿qué dices? ¡Si parece que está en coma!

Se removió con inquietud.

—¿Eso crees?

—Bobby, ¿la has visto bien? Está en los huesos. Bebe, fuma, toma pastillas. Y encima se enchufa canutos. ¿Cómo esperas que sobreviva?

—No sé. No creí que estuviera tan mal —dijo. No sólo era joven, era también un ingenuo; a no ser que la chica hubiera desmejorado tan despacio que él no se hubiera percatado de su estado físico.

—¿Cuánto hace que no tiene apetito?

—Pues creo que desde la muerte de Rick. Puede que antes incluso. Era su novia y lo pasó muy mal.

—¿Por eso quiere encargarse de ella el doctor Kleinert? ¿Porque no come?

—Supongo. La verdad es que no se lo he preguntado nunca. Kitty ya era paciente suya cuando empecé a visitarle.

—¿Algún problema? —dijo alguien.

Derek Wenner avanzaba hacia nosotros, procedente de la galería, con un whisky en la mano. Se notaba que había sido atractivo antaño. Era de estatura mediana, pelo rubio y ojos grises dilatados por unas gafas de montura azul sucio. Estaba a punto de cruzar la frontera de los cincuenta, eso tirando por lo bajo, y le sobraban sus buenos quince kilos. Tenía la cara regordeta y colorada de los que beben demasiado y la cuña de la calvicie no le había dejado en el centro más que un arbusto raleante apuntalado por sendos rastrojos laterales. Los kilos de más le colgaban de la papada y de un cuello tan ancho que la camisa parecía quedarle pequeña. Parecían caros los pantalones de gabardina con raya y lo mismo los zapatos de piel que llevaba, de color blanco y crema, y con orificios. Antes lo había visto con una americana, pero se la había quitado junto con la corbata. Se desabrochó el cuello de la camisa con un suspiro de alivio.

—¿Qué ocurre? ¿Y Kitty? Tu madre quiere saber por qué no ha bajado.

Bobby pareció aturdirse.

—No sé. Estábamos hablando y se quedó dormida.

Lo de «dormida» se me antojó un eufemismo. La cara de la joven tenía el mismo color que una sortija de plástico que me había entusiasmado de pequeña. Era blanca, pero si la ponías a la luz un rato y luego la tapabas con la otra mano, despedía un resplandor verdoso. Y, que yo supiera, esto no era señal de buena salud.

—Diantre, será mejor que hable con ella —dijo el padrastro. De lo cual se deducía que tenía plenos poderes sobre ella. Abrió la puerta y entró en la habitación de la joven.

Bobby me dirigió una mirada, mitad de desánimo, mitad de inquietud. Me puse a espiar lo que ocurría en la habitación. Derek dejó el vaso en la mesita y tomó asiento en la cama.

—¿Kitty?

Le puso la mano en el hombro y la zarandeó con suavidad. No hubo reacción.

—Vamos, pequeña, despierta.

Se volvió para mirarme con preocupación. Dio una sacudida brusca a la muchacha.

—Vamos, despierta.

—¿Quiere que llame a los médicos de abajo? —dije. Volvió a darle una sacudida. En mi opinión, era trabajo perdido.

Me puse los zapatos, dejé el bolso junto a la puerta y me encaminé a las escaleras. Al llegar a la sala de estar, Glen Callahan se me quedó mirando como si intuyera que algo iba mal. Se me acercó.

—¿Y Bobby?

—Arriba, con Kitty. Convendría que alguien le echara un vistazo. Perdió el conocimiento y su marido no puede despertarla.

—Avisaré a Leo.

Vi que se acercaba al doctor Kleinert y que le murmuraba algo. El psiquiatra me miró y con una excusa abandonó el grupo en que estaba. Subimos al piso superior.

Bobby, con cara de preocupación, estaba ahora junto a su padrastro. Derek trataba de sentar a la muchacha, pero ésta se caía de costado. El doctor Kleinert se adelantó con rapidez y apartó a los otros dos. Sin perder un instante, le hizo una revisión básica con ayuda de una linterna tipo bolígrafo que sacó del bolsillo interior de la chaqueta. Las pupilas de la joven se habían reducido al tamaño de la cabeza de un alfiler y, desde donde estaba, sus ojos me parecieron yertos y exánimes, y sin muchas ganas de reaccionar ante la literna con que el psiquiatra le enfocó, primero uno, después el otro. Tenía la respiración lenta y superficial, los músculos fláccidos. El doctor Kleinert se agachó para coger el teléfono, que estaba en el suelo, al lado de la cama, y llamó al 911.

Glen se había quedado en la puerta.

—¿Qué ocurre?

Kleinert no le hizo caso, enfrascado al parecer en la llamada de urgencia.

—Soy el doctor Leo Kleinert. Necesito una ambulancia en West Glen Road, de Montebello. Mi paciente sufre una intoxicación por ingestión de barbitúricos. —Dio la dirección y una serie de indicaciones para llegar a ella. Colgó y se quedó mirando a Bobby—. ¿Sabes qué ha tomado?

Bobby negó con la cabeza.

Fue Derek quien respondió, pero dirigiéndose a Glen.

—Estaba perfectamente hace media hora. Estuve hablando con ella.

—Derek, Derek, por el amor de Dios —dijo Glen con un dejo de enfado.

Kleinert abrió el cajón de la mesita de noche. Apartó algunos objetos y sacó un monedero de cremallera con pastillas suficientes para colocar a un elefante. Habría unas doscientas entre Nembutal, Seconal, Tuinal, naranjazulados, Placidyl y demás; en conjunto parecía el vistoso muestrario de la industria doméstica del cuelgue.

La desesperación se había pintado en la cara de Kleinert. Miró a Derek, con el monedero sujeto por una punta. La Prueba Número 1 de un proceso que, según me decía la intuición, había comenzado hacía tiempo.

—¿Qué son esas pastillas? —dijo Derek—. ¿De dónde las ha sacado?

—Primero despejemos el campo; ya nos ocuparemos de eso más tarde.

Glen Callahan había salido ya y alcancé a oír sus intencionados taconazos mientras se dirigía a las escaleras. Bobby me cogió del brazo y salimos juntos al pasillo. A Derek, por lo visto, le costaba creer lo que pasaba.

—¿Se pondrá bien?

El doctor Kleinert le respondió con un murmullo, pero no alcancé a descifrarlo. Bobby me condujo a una habitación que había enfrente y cerró la puerta a sus espaldas.

—Mantengámonos al margen. Bajaremos dentro de un rato. —Se frotó los dedos de la mano inútil como si fueran talismanes. Volvía a jadear.

La habitación era grande y las ventanas de ancho alféizar daban a la parte trasera de la finca. La alfombra, que abarcaba todo el suelo, era blanca y de pelo espeso; hacía tan poco que se había limpiado que distinguía las huellas que dejaba Bobby al andar. La cama doble del muchacho parecía de juguete en una estancia que no tendría menos de noventa metros cuadrados y que comunicaba con un cuarto ropero que se abría a la izquierda y con otra dependencia más allá que parecía el cuarto de baño. Había un televisor encima de un arcón antiguo de pino, de los de guardar ropa, y que se encontraba a los pies de la cama. En la pared de mi derecha había un escritorio empotrado de tablero blanco de formica, muy largo. Encima había un IBM Selectric II con el teclado, el monitor y la impresora colocados en fila. Los estantes de los libros eran también de formica blanca y estaban llenos, casi en exclusiva, de manuales médicos. Había una zona para sentarse en el rincón del fondo: dos sillones de muelles y un escabel forrado con una tela a cuadros blancos, calabaza y azul pizarra. La mesita del café, la lámpara de lectura, los libros y revistas acumulados allí indicaban que aquel era el rincón donde Bobby pasaba su tiempo libre.

Se acercó a un interfono de la pared y apretó un botón.

—Callie, nos morimos de hambre. Que nos suban una bandeja. Somos dos y tomaremos vino blanco.

Oí al fondo un cacharreo resonante, como cuando se mete la vajilla en el lavaplatos.

—Sí, señorito Bobby. Le mandaré a Alicia con algo de comer.

—Gracias.

Se acercó cojeando a uno de los sillones y tomó asiento.

—Me da por comer cuando estoy nervioso. Siempre lo hago. Anda, siéntate. Mierda, detesto esta casa. Antes me gustaba. Era fabulosa cuando yo era pequeño. Había espacio para correr, sitio donde esconderse. Un patio que no tenía fin. Ahora es como el capullo de una crisálida, totalmente aislado. Pero sin mantener alejado lo desagradable. Hace frío. ¿Tienes frío?

—No, estoy bien —dije.

Me senté en el otro sillón. Empujó el escabel hacia mí y apoyé los pies. Me pregunté qué sería vivir en una casa como aquélla, donde podían satisfacerse todas las necesidades y donde otros se responsabilizaban de hacer la compra y la comida, limpiar, sacar la basura y cuidar del paisaje. ¿Serviría para algo la libertad que todo ello permitía?

—¿Qué se siente cuando se vive con tantos lujos y comodidades? Yo ni siquiera puedo imaginármelo.

Iba a decir algo cuando alzó la cabeza.

Oímos la ambulancia a lo lejos, el aullido de la sirena que subía gradualmente de volumen para convertirse de pronto en un gemido de tristeza. Me miró y se limpió la barbilla como si estuviera pendiente de sí mismo.

—¿Crees que somos unos niñatos malcriados?

Las dos mitades de su cara parecieron enviarme mensajes contradictorios, uno de vitalidad y otro de muerte.

—¿Cómo quieres que lo sepa? Vivís mejor que la mayoría —dije.

—Alto ahí. También nosotros cumplimos con nuestras obligaciones. Mi madre se dedica de un modo intensivo a recaudar fondos para organizaciones benéficas y está en el comité directivo del museo de arte y de la sociedad histórica. Por Derek no respondo. Juega al golf y hace el zángano en el club. Bueno, no es justo lo que digo. Tiene ciertas inversiones y se ocupa de ellas, así se conocieron. Era el albacea de la herencia que me dejó mi abuelo. Dejó el banco cuando se casó con mi madre. De todos modos, apoyan un montón de causas, es decir, que no son sólo unos parásitos que se dedican a explotar a los pobres desharrapados. Mi madre fundó el Club de la Juventud Femenina de Santa Teresa, lo hizo prácticamente ella sola. Y el Centro de Mujeres Violadas también.

—¿Y Kitty? ¿Qué hace, aparte de colocarse?

Me miró con atención cautelosa.

—No juzgues a la gente. No sabes lo que hemos pasado todos.

—Es verdad. Disculpa. No quería hacerme la puritana. ¿Va a alguna escuela privada?

—Ya no —dijo cabeceando—. Este año la han trasladado al Instituto Nacional de Santa Teresa. Para ver si se corrige.

Miró hacia la puerta con inquietud. La casa era tan maciza que no había forma de saber si los enfermeros habían subido ya o no.

Me dirigí a la puerta y la entreabrí. En aquel momento salían del cuarto de Kitty con la camilla portátil, cuyas ruedas giraron como las de un carrito de la compra al doblar hacia el pasillo. Habían tapado a Kitty con una manta y abultaba tan poco que apenas se la distinguía. Uno de sus brazos esqueléticos sobresalía de la frazada. Le habían puesto un gotero y uno de los enfermeros sostenía en alto una bolsa de plástico con una solución blanquecina. Por medio de una mascarilla le suministraban oxígeno. El doctor Kleinert avanzó en vanguardia hacia las escaleras. Derek iba en último término con las manos en los bolsillos y la tez pálida. Parecía no saber qué hacer, fuera de lugar, y se detuvo al verme.

—Voy a acompañarles con el coche —dijo, aunque nadie le había preguntado nada—. Dígale a Bobby que estaré en el St. Terry.

Sentí lástima por él. La escena parecía sacada de una teleserie, con aquel personal médico tan serio y profesional. Se llevaban a su hija, la muchacha podía morir, pero nadie parecía pensar en esa posibilidad. No había ni rastro de la madre de Bobby, ni rastro de las personas que habían ido a la casa a tomar unas copas. Todo parecía mal concebido, como un espectáculo complicado que acabe por aburrir.

—¿Quiere que vayamos nosotros también? —le pregunté.

Negó con la cabeza.

—Dígale a mi mujer dónde estoy —dijo—. La llamaré en cuanto sepa algo concreto.

—Suerte —dije, y me dirigió una sonrisa de desaliento, como si no estuviera acostumbrado a tenerla.

La comitiva desapareció escaleras abajo. Cerré la puerta del cuarto de Bobby. Fui a decirle algo, pero se me anticipó.

—Lo he oído —dijo.

—¿Por qué se ha escondido tu madre? ¿Se lleva mal con Kitty o qué?

—Es demasiado enrevesado para explicarlo. Mi madre se desentendió definitivamente de Kitty a raíz de un episodio anterior, y no precisamente por falta de humanidad. Al principio hacía lo que podía, pero después de una crisis venía otra y no había manera de ponerle fin. A ello se debe en parte el que ella y Derek lo estén pasando tan mal.

—¿Cuáles son los motivos restantes?

Me miró como si no me entendiera. Estaba claro que se sentía igualmente culpable.

Llamaron a la puerta y entró una chicana de trenzas con una bandeja en las manos. Su rostro carecía de expresión y no miraba a los ojos. Si estaba al tanto de lo que sucedía, no lo dio a entender. Trasteó durante medio minuto con las servilletas de hilo y los cubiertos. Si nos hubiera hecho firmar el albarán del servicio de habitaciones, con propina incluida, no me habría extrañado en absoluto.

—Gracias, Alicia —dijo Bobby.

La mujer murmuró algo y se marchó. Que todo fuera tan impersonal hacía que me sintiera incómoda. Tuve ganas de llamarla para preguntarle si le dolían los pies igual que a mí o si tenía familia sobre la que cambiar impresiones. Me habría gustado que hubiera dicho algo, que hubiera manifestado curiosidad o preocupación por las personas para las que trabajaba, por la persona a la que acababan de llevarse en camilla en un momento tan inesperado. Bobby escanció vino para los dos y nos pusimos a comer.

La comida parecía sacada de una revista. Trozos suculentos de pollo frío con mostaza, terrinas de hojaldre rellenas de espinacas y queso inglés ahumado, racimos de uva y perejil en rama adornándolo todo. En dos cuencos pequeños de porcelana con tapadera había sopa de tomate fría, espolvoreada con hinojo, y con un copete de nata helada. Rematamos la comida con una bandeja de pastas decoradas. ¿Comían así todos los días? Bobby ni había pestañeado. No sé qué esperaba yo que hiciera. No iba a temblar de emoción cada vez que le subían la cena, pero a mí me había impresionado el banquete y supongo que si había querido verle saltar de entusiasmo era por no quedar como una cateta.

Cuando bajamos eran casi las ocho y los invitados se habían ido. De no ser por las dos criadas que limpiaban en silencio la sala de estar habría jurado que la casa estaba vacía. Bobby me condujo hasta una puerta de roble que había en el otro extremo del vestíbulo. Llamó y oí un murmullo de respuesta. Accedimos a un estudio pequeño donde vi a Glen Callahan sentada con un libro en la mano y, a su derecha, una copa de vino en una mesita de servicio. Se había cambiado de ropa y ahora llevaba unos pantalones de lana de color chocolate y un suéter de cachemir a juego. Se había encendido el fuego en la chimenea. Las paredes estaban pintadas de un rojo tomate y se habían corrido las cortinas del mismo color para que no entrase el frío del anochecer. Casi todas las noches hace frío en Santa Teresa, incluso en pleno verano. El estudio era cálido y confortable, un refugio privado para perder de vista los techos altos y las paredes decoradas del resto de la mansión.

Bobby tomó asiento enfrente de su madre.

—¿Ha llamado Derek?

La mujer cerró el libro y lo puso a un lado.

—Hace unos minutos. Kitty está fuera de peligro. Le han hecho un lavado de estómago y la ingresarán en cuanto salga de urgencias. Derek se quedará hasta que se formalice la admisión.

Miré a Bobby. Inclinó la cabeza, se llevó las manos a la cara y lanzó un suspiro de alivio que me sonó como una nota grave emitida por una gaita. Cabeceó y se quedó con la vista fija en el suelo.

Glen lo miró con atención.

—Estás agotado. Anda, vete a la cama. Quisiera hablar con Kinsey a solas.

—Está bien. Como quieras —dijo. Se le había acentuado la mala pronunciación y vi que los delicados músculos que le rodeaban los ojos se le agitaban como estimulados por descargas eléctricas. El cansancio parecía aumentar su incapacidad. Se levantó y se acercó a su madre. Esta le cogió la cara con ambas manos y le miró con fijeza.

—Si Kitty experimenta algún cambio iré a decírtelo —murmuró—. No quiero que te preocupes, que duermas bien.

El asintió y rozó la mejilla materna con su mejilla buena. Se dirigió a la puerta.

—Te llamaré por la mañana —me dijo y abandonó la habitación. Le oí cojear en el pasillo hasta que el roce se perdió en el silencio general de la casa.

5

Ocupé el sillón que Bobby había dejado libre. El asiento mullido todavía estaba caliente y ostentaba aún, perfectamente perfilada, la huella de su cuerpo. Glen me observaba mientras se formaba, supuse, una opinión sobre mí. Advertí a la luz de la lámpara que el color de su pelo era fruto de la pericia de un artesano que había sabido darle el mismo matiz castaño de sus ojos. Todo era armónico en ella, todo pegaba con todo: el maquillaje, la ropa, los complementos. Por lo visto era persona que se fijaba en los detalles y tenía un gusto exquisito.

—Lamento que nos haya visto en estas circunstancias.

—No suelo ver a nadie en su mejor momento —dije—. Así sorprendo de refilón la humanidad de las personas. ¿Quién va a hacerse cargo de mis honorarios? ¿El o usted?

La pregunta hizo que me mirase con atención. Probablemente dedicaba gran parte de su inteligencia a todo lo relacionado con el dinero. Arqueó ligeramente una ceja.

—El. Entró en posesión de su herencia al cumplir los veintiuno. ¿Por qué lo pregunta?

—Me gusta saber a quién he de informar —dije—. ¿Qué piensa usted de lo que dice Bobby acerca de que quisieron matarle?

Tardó un poco en contestar y lo hizo con un ligero encogimiento de hombros.

—Pienso que es posible. Según creo, la policía está convencida de que alguien le obligó a salirse del puente. Si fue o no intencionado, lo ignoro por completo. —Hablaba en voz baja y con claridad, remachando las palabras.

—Por lo que me ha contado Bobby, ocurrió hace nueve meses largos.

Se pasó la uña del pulgar por la pernera del pantalón, como si hablase con la raya de la prenda.

—No sé cómo pudimos resistirlo. Es mi único hijo, la luz de mi vida. —Hizo una pausa, sonrió para sí, alzó de pronto los ojos y me miró con timidez inesperada—. Sé que cualquier madre diría lo mismo, pero es un muchacho especial. Se lo digo muy en serio. Lo es desde que era niño. Inteligente, despierto, sociable, de cerebro rápido. Y alegre. Un cielo de criatura, afectuoso, divertido, se acomoda a todo. Una bendición.

»La noche del accidente se presentó en casa la policía. No nos avisaron hasta las cuatro de la madrugada porque el coche estuvo allí hasta que lo descubrieron y tardaron horas en sacar a los chicos del precipicio. Rick murió al instante.

Se interrumpió y al principio pensé que se le había ido el santo al cielo.

—En fin —prosiguió—. Llamaron a la puerta. Derek bajó a ver quién era y, como tardaba en subir, cogí una bata y bajé yo también. Vi a dos agentes en el vestíbulo. Pensé que había habido algún robo en el barrio o algún accidente delante de la casa. Derek se volvió en redondo y vi en su cara una expresión espantosa. «Bobby», dijo, y creí que el corazón se me paraba.

Alzó los ojos para mirarme y vi que los tenía brillantes a causa del llanto. Enlazó los dedos, formó un chapitel de aguja con ambos índices y se llevó éstos a los labios.

—Pensé que había muerto. Pensé que se habían presentado para decirme que había muerto. Sentí un chorro helado, como si me hubieran acuchillado. Partió del corazón y se me propagó por todo el cuerpo hasta que los dientes me castañetearon. Se lo habían llevado ya al St. Terry. Lo único que sabíamos de cierto en aquel punto era que aún vivía, pero de milagro. Cuando llegamos al hospital, el médico no nos dio ninguna esperanza. Ninguna en absoluto. Nos dijeron que tenía heridas y fracturas por todas partes. Contusiones craneanas y muchísimos huesos rotos. Nos dijeron que no se recuperaría nunca, que si sobrevivía sería como una planta. Creí morir. Y me moría porque Bobby estaba muriéndose y así estuvo varios días. No me aparté ni un solo momento de su lado. Me comportaba como una loca, gritaba a todo el mundo, a las enfermeras, a los médicos...

Se le apagaron los ojos y levantó el índice, como una maestra que quisiera dejar algo bien claro.

—Aprendí una cosa —dijo con expresión precavida—. Comprendí que no podía comprar la vida de Bobby. Con dinero se puede comprar todo lo que se quiere, pero no la vida. Jamás había empleado el dinero en aquello y ahora se me antoja extraño. Mis padres tenían dinero. Los padres de mis padres tenían dinero. Siempre he conocido el poder del dinero, pero nunca lo he empleado con este fin. Bobby tenía lo mejor. En todo. No le faltaba nada. De pronto, fue como si todo se viniera abajo. Después de tantos esfuerzos no podía creer que aquello lo hubieran hecho adrede. Bobby ya no tiene futuro, en ningún sentido. Se pondrá bien y encontraremos la manera de que lleve una vida cómoda, pero sólo porque nuestra posición nos lo permite. Nadie puede saber lo que se ha perdido. Y es un milagro que Bobby haya resistido tanto.

—¿Tiene alguna idea acerca de por qué quisieron matarle?

Negó con la cabeza.

—Usted ha dicho —proseguí— que Bobby tiene dinero propio. ¿Quién se beneficiará si muere?

—Eso tendrá que preguntárselo a él. Estoy convencida de que ha hecho testamento, ya me consultó en cierta ocasión a propósito de legar su fortuna a distintas instituciones benéficas... aunque, claro está, siempre puede casarse y tener herederos propios. ¿Cree usted que el dinero pudo ser el motivo?

Me encogí de hombros.

—Es lo primero que suele ocurrírseme, en particular cuando, según parece, hay mucho por medio.

—¿Puede haber otro motivo? Yo no creo que nadie tenga nada contra él.

—Se mata por los motivos más absurdos. Unos se enfurecen por cualquier cosa y quieren vengarse. Otros se ponen celosos, o quieren defenderse de una agresión real o imaginaria. O bien han hecho algo reprobable y matan para que no se sepa. A veces no es necesario que haya tanta lógica. Puede que Bobby no cediera el paso a otro vehículo aquella noche y que el conductor ofendido lo siguiera hasta la montaña. La gente pierde la razón cuando está al volante. ¿Estaba peleado con alguien?

—No, que yo sepa.

—¿No había nadie que se la tuviera jurada? ¿Una novia, tal vez?

—Lo dudo. Salía con una chica por entonces, pero por lo que sé era una relación del todo informal. Bobby ha cambiado, como es lógico. No se experimenta la proximidad de la muerte sin pagar un precio. La muerte violenta es como un monstruo. Cuanto más nos acercamos a ella, peor parados salimos... si es que salimos. Bobby tuvo que salir de la tumba con su solo esfuerzo, poco a poco. Ya no es el que era. Se ha enfrentado cara a cara con el monstruo. Tiene las huellas de sus garras en todo el cuerpo.

Aparté la mirada. Era verdad, Bobby tenía aspecto de haber sido atacado físicamente, desgarrado, magullado, vapuleado. La muerte violenta deja un aura, como un campo de energía que ahuyenta al observador. Jamás he podido mirar a la víctima de un asesinato sin retroceder instintivamente. Hasta las fotos de los muertos me repelen y me producen escalofríos. Volví al tema que nos ocupaba.

—Bobby me dijo que en aquella época trabajaba con el doctor Fraker.

—Es cierto. Jim Fraker y yo somos amigos desde hace

años. En realidad fue por eso por lo que lo contrataron en el St. Terry. Una especie de favor que me hicieron.

—¿Cuánto estuvo trabajando allí?

—En el hospital, unos cuatro meses. En Patología, con Jim, creo que dos.

—¿Y qué hacía exactamente?

—Limpiar el instrumental, hacer recados, contestar al teléfono. Todo muy rutinario. Le enseñaron a hacer experimentos en el laboratorio y a veces utilizaba los aparatos, pero me parece inimaginable que este trabajo implicara nada que pusiese su vida en peligro.

—Tengo entendido que por entonces había terminado el primer ciclo en el Colegio Universitario de Santa Teresa —dije, repitiendo la información que me había dado el mismo Bobby.

—Exacto. Fue un trabajo temporal, mientras esperaba el momento de ingresar en la facultad de medicina. Le habían rechazado la primera solicitud.

—¿Por qué?

—Bueno, se confió y sólo presentó la solicitud en cinco facultades. Siempre había sido un estudiante excelente, todo le había salido siempre de primera. Pero calculó mal. Hay una competencia tremenda en las facultades de medicina y no lo admitieron en las que presentó solicitud de matrícula, eso es todo. La experiencia le desconcertó, pero digo yo que se recuperaría al cabo de un tiempo. Sé que consideraba útil trabajar con el doctor Fraker porque le familiarizaba con materias con las que de otro modo sólo habría podido entrar en contacto más tarde, sobre la marcha.

—¿De qué más se componía su vida por entonces?

—No muchas cosas. Iba al trabajo. Salía con gente. Practicaba la halterofilia y hacía surfing de vez en cuando. Iba al cine, salía a cenar con nosotros. Todo era muy corriente en aquella época, y en la actualidad me sigue pareciendo muy normal.

Tenía que indagar en otro sentido, pero no sé cómo iba a reaccionar.

—¿Han tenido relaciones sexuales Bobby y Kitty?

—¿Eh? Bueno, no sabría decirle. No tengo ni la menor idea.

—¿Pero cabe la posibilidad?

—Supongo, aunque no lo creo probable. Derek y yo estamos juntos desde que Kitty tenía trece años. Bobby tenía entonces dieciocho, más o menos, quizá diecinueve. Vamos, que ya era mayorcito. Creo que ella estaba loca por él. No sé lo que Bobby sentiría, pero no creo que una treceañera le despertase ningún interés.

—Por lo que he tenido ocasión de comprobar, Kitty ha crecido muy aprisa.

Cruzó las piernas con inquietud, enlazando la una con la otra.

—No comprendo por qué le atrae ese tema.

—Necesito saber lo que ocurría. Esta noche lo he visto muy preocupado por Kitty y el alivio que ha sentido al saber que estaba bien ha sido muy revelador. Y me preguntaba por la intensidad y profundidad de sus relaciones.

—Entiendo. En gran medida, el sentimentalismo de Bobby es consecuencia del accidente. Por lo que me han explicado, suele darse en las personas que han sufrido lesiones en la cabeza. En la actualidad tiene un carácter tornadizo y dado a la melancolía. Se impacienta. Y reacciona de manera exagerada. Llora con facilidad y se siente un fracasado.

—¿Está dentro de ese cuadro la amnesia parcial que sufre?

—En efecto —dijo—. Lo malo es que ni siquiera él conoce el alcance de su amnesia. Unas veces recuerda los detalles más insignificantes y otras se olvida de la fecha de su cumpleaños. O se olvida totalmente de quién es quién, en ocasiones a propósito de personas que conoce desde pequeño. Es uno de los motivos por los que visita a Leo Kleinert. Para hacer frente a esos cambios de personalidad.

—Bobby me dijo que Kitty también visitaba al doctor Kleinert. ¿Era por su anorexia, tal vez?

—Tratar con Kitty ha sido siempre muy difícil.

—Sí, ya me he dado cuenta. Pero ¿por qué?

—Pregúntele a Derek. No soy la persona indicada para darle esa clase de información. Al principio lo intenté, pero ya estoy harta. Fíjese en lo de esta noche. Sé que parece cruel, pero no me lo puedo tomar en serio. Ella se lo ha buscado y es asunto suyo. Mientras no complique la vida a los demás, puede hacer lo que se le antoje. Si se muere, que se muera, me trae sin cuidado.

—Pues a mí me da la sensación de que su conducta le influye, le guste o no le guste —dije a modo de tanteo. Era un tema muy delicado y no quería provocar enfrentamientos.

—Me temo que sí, que es verdad lo que usted dice, pero ya estoy harta. Las cosas tienen que cambiar. Me he cansado de seguir el juego a los demás y de ver cómo manipula a Derek.

Cambié de tema porque quería saber algo que me había despertado la curiosidad.

—¿Cree usted que las pastillas que ha tomado Kitty las compró ella personalmente?

—Desde luego. Se droga desde que entró en esta casa. Es la manzana de la discordia entre Derek y yo. Kitty está destrozando nuestro matrimonio. —Calló durante unos instantes que invirtió en recuperarse y añadió—: ¿Lo pregunta por algo en particular?

—¿Lo de las pastillas? No, por nada, sólo porque me parece raro —dije—. Me resulta inconcebible que las guardara como si tal cosa en el cajón de la mesita de noche y que tuviese tantas. ¿Sabe usted lo que cuestan esas pastillas?

—Kitty recibe una asignación mensual de doscientos dólares —dijo con sequedad—. He discutido este asunto hasta quedarme afónica, pero sin ningún resultado. Derek no quiere dar su brazo a torcer. Los doscientos dólares salen de su bolsillo.

—Aun así. Son pastillas muy cotizadas. Tiene que tener un contacto fabuloso en alguna parte.

—Estoy segura de que Kitty sabe cómo conseguirlas.

Lo dejé correr e hice un apunte mental. Había conocido hacía poco a uno de los camellos más emprendedores del Instituto Nacional de Enseñanza Media de Santa Teresa y cabía la posibilidad de que supiera quién le pasaba la mercancía a Kitty. Por lo que yo sabía, cabía incluso la posibilidad de que fuera él. Me había prometido cerrar el negocio, pero creía tanto en su palabra como en la del borrachín que promete comprarse un bocadillo con el dólar que se le da de buena fe. ¿Para qué engañarnos?

—Corramos un tupido velo por el momento —dije—. Ya han sucedido demasiadas cosas hoy. Quisiera que me diese usted el nombre y el teléfono de la antigua novia de Bobby, si es que lo sabe. Probablemente hablaré también con los padres de Rick. ¿Sabe usted cómo localizarlos?

—Le daré ambos teléfonos —dijo. Se puso en pie y se acercó a un escritorio de estilo antiguo y madera rojiza con compartimientos y cajoncitos en la parte superior. Abrió uno de los grandes cajones inferiores y sacó un cuaderno de piel con un monograma en la tapa.

—Hermoso escritorio —murmuré. Fue como decirle a la reina de Inglaterra que tenía unas joyas muy bonitas.

—Gracias —dijo con indiferencia, mientras hojeaba el cuaderno de direcciones—. Lo compré el año pasado en Londres, en una subasta. No me atrevo a decirle lo que me costó.

—Vamos, inténtelo —dije con entusiasmo. De tanto estar con aquella gente me estaba volviendo frívola.

—Veintiséis mil dólares —murmuró mientras recorría una página con el dedo.

Me encogí de hombros mentalmente, con resignación filosófica. Veintiséis billetes eran una pasta, pero una insignificancia para ella. ¿Cuánto le habrían costado las bragas que llevaba? ¿Cuánto los *coches* que poseía?

—Aquí está. —Apuntó la información en un taco de mesa, arrancó la hoja y me la alargó.

—Me temo que encontrará un poco hoscos a los padres de Rick —dijo.

—¿Por qué?

—Porque culpan a Bobby de la muerte de su hijo.

—¿Y cómo le sienta eso a Bobby?

—Mal. A veces pienso que se lo cree. Razón de más para llegar al fondo de este asunto.

—¿Puedo hacerle otra pregunta?

—Naturalmente.

—¿Se escribe «Glen», al igual que en «West Glen»?

—Es más bien al revés —dijo—. No me lo pusieron por la calle. A la calle le pusieron ese nombre por mí.

Cuando me encerré en el coche tenía muchísima información que digerir. Eran las nueve y media, había oscurecido totalmente y hacía demasiado frío para seguir con el blusón negro de gasa que ni siquiera me llegaba a las rodillas. Tardé unos minutos en quitarme los pantis y volver a ponerme los pantalones. Tiré los zapatos de tacón al asiento trasero y recuperé las sandalias, arranqué y puse la marcha atrás. Tracé una semicircunferencia y busqué la salida. Localicé el otro ramal del camino de entrada, fui por él y durante unos instantes pude ver la parte trasera de la mansión. Había cuatro terrazas iluminadas, con sendas piscinas que despedían reflejos negros a causa de la noche y que sin duda reflejarían las montañas durante el día, como una sucesión de fotos que se superponen.

Salí a West Glen y giré a la izquierda, camino de la ciudad. No había ningún indicio de que Derek hubiese vuelto y pensé que si me dirigía al St. Terry podría dar con él antes de que se marchase. Para matar el tiempo me pregunté cómo me sentaría que bautizaran alguna calle con mi nombre. Avenida Kinsey. Calle Kinsey. Sonaba bien. Creo que sabría aceptar el homenaje.

6

De noche, el Hospital Clínico Santa Teresa parece una gigantesca tarta nupcial de estilo *art déco*, festoneada con luces exteriores: tres pisos de blancura cremosa interrumpidos por el vacío prismático de la entrada principal. Tenía que haberse acabado el horario de las visitas porque encontré sitio para aparcar en la acera de enfrente. Cerré el coche con llave, crucé la calzada y entré en el camino de acceso, que tiene forma circular. La entrada consistía en un pórtico gigantesco por el que se llegaba a un juego de puertas dobles que se abrieron con un murmullo al aproximarme. Las luces del vestíbulo se habían amortiguado igual que en los aviones cuando se viaja de noche. A la izquierda estaba la cafetería; no había en ella más que una camarera enfundada en un uniforme blanco muy parecido al de las enfermeras. A la derecha estaba el bazar de los regalos con el escaparate adornado con lo que parecía ropa interior pornográfica, pero en versión hospitalaria. El edificio entero olía a esos claveles que se conservan en las vitrinas refrigeradas de las floristerías.

La finalidad de la decoración era serenar el espíritu, sobre todo en la zona donde estaba la caja. Me acerqué al mostrador de información, que estaba a cargo de una mujer de expresión acogedora parecida a una maestra que había tenido en tercero y que llevaba una bata a rayas de color rosa.

—Buenas —dije—. ¿Podría usted decirme si está aquí ingresada Kitty Wenner? La llevaron a urgencias hace una hora.

—Voy a comprobarlo —dijo.

Según la chapa que lucía en la pechera me encontraba ante «Roberta Choat, Enfermera Voluntaria». Me recordó aquellas colecciones de novelas para jovencitas que en la actualidad han quedado desfasadas. Tendría sesenta y tantos años y una colección completa de medallas por buena conducta.

—Aquí está. Katherine Wenner, en la Tres Sur. Siga este pasillo, gire al llegar a los ascensores y continúe hasta llegar al banco que hay al fondo. Tercera planta, luego gire a la izquierda. Pero aguarde, se trata del pabellón psiquiátrico y no sé si le permitirán verla. Ya han terminado las horas de visita. ¿Es pariente de la joven?

—Soy su hermana —dije con toda naturalidad.

—Bien, pues no tiene más que repetírselo a la enfermera de guardia que encontrará en la planta tercera; es posible que le crea —dijo Roberta con la misma naturalidad.

—Eso espero —dije. En realidad era a Derek a quien yo quería ver.

Anduve por el pasillo y, según se me había indicado, doblé al llegar a los ascensores y seguí hasta el banco del fondo. Vi un rótulo que decía ALA SUR, lo que me tranquilizó muchísimo. Apreté el botón de «subir» y las puertas se abrieron en el acto. Entró un hombre detrás de mí y de pronto titubeó y se puso a mirarme de reojo como si hubiera leído mi descripción en algún manual para prevenir las violaciones. Apretó el «2» y se quedó pegado al tablero de los botones hasta que el ascensor llegó a la planta indicada.

El ala sur tenía un aspecto más presentable que el noventa y nueve por cien de los hoteles en que he estado a lo largo de mi vida. Los precios, como es lógico, eran mucho más elevados y contaba con muchos servicios que no me interesaban, las autopsias por ejemplo. Todas las luces estaban encendidas, la alfombra era un brochazo naranja y en las paredes colgaban reproducciones de Van Gogh; curiosa elección para el pabellón psiquiátrico, por si a alguien le interesan mis opiniones.

Derek Wenner estaba sentado en un sofá junto a una puerta doble con ventanillas protegidas por tela metálica y flanqueada por un rótulo que decía LLAMEN ANTES DE ENTRAR, con un timbre debajo.

Fumaba un cigarrillo; en las rodillas tenía un ejemplar abierto de la revista *National Geographic.* Cuando tomé asiento a su lado me miró sin expresión.

—¿Cómo está Kitty?

Sufrió un leve sobresalto.

—Oh, disculpe. No la reconocí al verla aparecer. Está mejor. Acaban de subirla y la están instalando. Me dejarán verla dentro de un momento. —Miró hacia los ascensores—. ¿No ha venido Glen con usted, por casualidad?

Negué con la cabeza y vi que en su cara se dibujaba durante unos segundos una mezcla de alivio y esperanza.

—No le diga que me ha visto fumar —añadió con voz tímida—. Me obligó a dejarlo en marzo. Tendré que deshacerme de este paquete antes de volver a casa. Pero como Kitty se encontraba tan mal, y encima el lío éste... —Se interrumpió con un encogimiento de hombros.

No me atreví a decirle que apestaba a tabaco. Glen tendría que estar en coma para no darse cuenta.

—¿Y qué la trae por aquí? —preguntó.

—No lo sé. Bobby se fue a dormir y estuve charlando un rato con Glen. Luego se me ocurrió pasar por aquí para ver cómo estaba Kitty.

Sonrió sin saber muy bien qué pensar al respecto.

—Estaba pensando en lo mucho que me recuerda esto a la noche en que nació Kitty. Estuve esperando durante horas, preguntándome cómo saldría todo. En aquella época no dejaban entrar a los padres en la sala de partos. Tengo entendido que, en la actualidad, los médicos prácticamente les obligan a estar presentes.

—¿Qué fue de la madre de Kitty?

—La mató el alcohol cuando Kitty tenía cinco años.

Guardó silencio. No sé me ocurría ningún comentario que no fuera trivial o ajeno a la cuestión. Vi cómo apagaba el cigarrillo. Desmochó la brasa, que dejó una cavidad en la punta de la colilla, como cuando arrancan un diente.

—¿La han admitido en Desintoxicación? —pregunté al cabo de un rato.

—Bueno, éste es el pabellón psiquiátrico. Creo que la unidad de desintoxicación es independiente. Leo quiere que se calme para someterla a una revisión general antes de tomar una decisión. En este momento está un poco descontrolada. —Cabeceó y el gesto le estiró la papada—. No sé qué hacer con ella. Seguro que Glen le ha contado ya que hemos tenido muchos roces por su culpa.

—¿Porque toma drogas?

Por las drogas, los estudios, su tiempo libre, su delgadez. Ha sido una pesadilla. Se ha quedado en los huesos, no creo que pese más de cuarenta kilos.

—A lo mejor lo que necesita es estar aquí —dije.

Se abrió una de las puertas dobles y apareció una enfermera. Vestía tejanos y una camiseta. No llevaba cofia, sino una diadema, y una chapa de identificación que no alcancé a leer desde donde me encontraba. Se había teñido mal el pelo, de un matiz naranja que yo sólo había visto en las caléndulas, pero sonreía con espontaneidad y de un modo agradable.

—¿Señor Wenner? ¿Tendría la bondad de acompañarme?

Derek se puso en pie al tiempo que me dirigía una mirada.

—¿Le importaría esperar? No durará mucho. Leo me dijo que, tal como se encuentra Kitty, no me dejará estar con ella más de cinco minutos. Cuando vuelva la invitaré a un café o una copa.

—Sí, estupendo. Esperaré aquí.

Asintió con la cabeza y desapareció con la enfermera. Cuando entraron, durante un fugaz segundo oí a Kitty vociferar blasfemias y maldiciones en un estilo de lo más barroco. Se cerró la puerta y la llave giró en la cerradura con chasquido resonante. Aquella noche no iba a dormir nadie en la 3 Sur. Cogí el *National Geographic* y estuve mirando unas fotos con exposición de un cráter del Parque Nacional de Yosemite.

Quince minutos más tarde estábamos en la cafetería de un motel situado a un par de calles del hospital. Se llama Plantación y es una especie de bar perdido que parece haberse arrastrado hasta el enclave donde se encuentra actualmente. En cuanto al motel, se diría construido expresamente para alojar a los parientes de los enfermos de los pueblos vecinos que acuden al St. Terry. La cafetería se añadió a modo de complemento, infringiendo sabe Dios qué leyes municipales, dado que se alza en medio de una zona residencial. Zona que, como es lógico, se encuentra actualmente invadida por dispensarios, clínicas, residencias, farmacias y demás proveedores de la industria de la salud, incluyendo una empresa de servicios fúnebres, a dos calles de distancia, por si fallan los restantes servicios. Puede que en un futuro próximo la comisión para el desarrollo urbano del municipio permita, para aliviar el dolor de los enfermos, la venta de bebidas alcohólicas fuertes en los alrededores.

La cafetería es estrecha y oscura, y detrás de la barra, donde suelen estar el espejo, las botellas y el rótulo de neón de la cerveza, hay una reproducción tridimensional de una plantación bananera. Como si se tratase de un pequeño escenario teatral iluminado, las palmeras en miniatura están dispuestas en filas ordenadas y alrededor de ellas, en una sucesión de cuadros escénicos, los mecanizados obreros de juguete recogen la fruta. Todos los obreros parecen mexicanos, incluso la pequeña escultura femenina que ha llegado con el cazo y el cubo del agua en el momento de sonar el silbato que anuncia el descanso del mediodía. Un hombre saluda desde lo alto de una palmera y un perrito de madera ladra y mueve la cola.

Nos llamó tanto la atención el decorado que estuvimos un rato sentados ante la barra sin pronunciar palabra apenas. Incluso el camarero, que lo habría visto cientos de veces, se detenía a contemplar la mula mecánica que tiraba del carro lleno de plátanos hasta que, al doblar la curva, aparecían otra mula y otro carro en su lugar. No es de extrañar que las especialidades de la casa sean los cubatas y daiquiris de plátano, pero tampoco pasa nada si se pide una bebida adulta. Derek había pedido un cóctel de vermut y Beefeater, y yo una copa de vino blanco que me hizo fruncir los labios como un monedero de cierre retráctil. Había visto cómo me lo servía el camarero de una de esas garrafas que cuestan tres dólares en cualquier supermercado de barrio. Según la etiqueta, procedía de una de esas bodegas donde los trabajadores están en huelga siempre y pensé en la posibilidad de que, para vengarse de unas condiciones laborales injustas, se hubiesen meado en el caldo.

—¿Qué piensa sobre lo que le pasó a Bobby? —pregunté a Derek cuando recuperé la elasticidad de la boca.

—¿Lo de que quisieron matarle? Pues la verdad es que no lo sé. A mí me parece muy traído por los pelos. El y su madre están convencidos, pero a mí no se me ocurre por qué querría nadie hacerle una cosa así.

—¿Qué hay del dinero?

—¿Qué dinero?

—¿Quién se beneficiará económicamente si muere Bobby? También se lo he preguntado a Glen.

Se acarició la papada. A causa de la gordura parecía tener una cara de tamaño normal encima de otra mayor. Sus carrillos eran como estalactitas de carne que le chorreasen a ambos lados de la mandíbula inferior.

—Sería un motivo demasiado llamativo, me parece a mí —dijo. Tenía la típica expresión escéptica de los actores, que tienen que exagerar los efectos para que se vean desde la fila veinticinco.

—Sí, también fue muy llamativo obligarle a salirse del

puente. Claro que si hubiera muerto en el accidente, nadie se habría enterado —dije—. Cada seis meses se despeña un coche en el desfiladero, la gente toma las curvas a demasiada velocidad, o sea que habría pasado por uno de tantos accidentes de tráfico. Habrían quedado señales en el parachoques de atrás, pero no creo que nadie hubiera sospechado lo ocurrido al sacar los restos con la grúa. Tengo entendido que no lo vio nadie.

—En efecto, y no creo que deba usted fiarse de lo que diga Bobby.

—¿A qué se refiere?

—Bueno, salta a la vista que quiere echarle la culpa a terceros por razones muy personales. No se atreve a afrontar el hecho de que iba borracho. En cualquier caso, siempre ha conducido a demasiada velocidad. Su mejor amigo resultó muerto. Rick era el novio de Kitty y desde que se enteró, la pobre está en una especie de círculo vicioso. No quiero decir que la versión de Bobby sea falsa, pero siempre me ha parecido interesada hasta cierto punto.

Observé sus facciones y me pregunté por el cambio de tono que había advertido en su voz. Su teoría era interesante y me dio la impresión de que la había meditado durante algún tiempo. Pero se mostraba inquieto al fingir indiferencia y objetividad, ya que lo único que hacía en el fondo era restar credibilidad a Bobby. Estaba segura de que no se había atrevido a decir a Glen lo que pensaba.

—¿Me está diciendo que Bobby se lo inventó todo?

—Yo no he dicho *eso* —replicó, saliéndose por la tangente—. En mi opinión, Bobby está convencido, pero porque le exime de toda responsabilidad. —Apartó los ojos de mí, hizo una seña al camarero para que nos sirviera otra ronda y volvió a mirarme—. ¿Quiere repetir?

—Desde luego. —No me había terminado el vino aún, pero seguramente se sentiría más relajado si creía que le acompañaba por el simple placer de beber. Los cócteles de vermut hacen hablar incluso a los mudos y tenía curiosidad por saber lo que saldría de aquella boca cuando se le aflojase la lengua. Distinguía ya en sus ojos el temblorcillo multicolor que delata las tendencias alcohólicas. Metió la mano en el bolsillo de la camisa y sacó un paquete de tabaco con los ojos fijos en el belén de las palmeras. El mexicano mecánico que empuñaba el machete volvía a trepar por el tronco. Derek encendió un cigarrillo sin mirar lo que hacía, aunque el movimiento tuvo un aire extraño, como si no quisiera prestarle atención para que no se le pudiera echar en cara. Sin duda era de los que comen mientras ven la televisión y apuran el whisky con gran aparato para que parezca que sólo se han tomado uno.

—¿Cómo se encuentra Kitty? No me lo ha dicho.

—Cuando la vi... bueno, estaba alterada, supongo que por verse de pronto en un hospital, pero le dije... le dije: «Mira, pequeña, tienes que entrar en razón». —Había recuperado el papel de padre, pero tampoco parecía sentirse a gusto con él. Podía imaginarme su eficacia a la hora de ligar.

—No parece que Glen simpatice mucho con ella —dije.

—No. Tampoco se lo reprocho; Kitty es muy difícil, y creo que Glen no entiende que cuesta mucho responsabilizarse de una muchacha así. Bobby ha tenido siempre todo lo que puede comprarse con dinero. ¿Y por qué no, si se lo podía permitir? Lo que me fastidia es que, haga lo que haga, a Bobby siempre se le perdona todo. Mientras que, haga Kitty lo que haga, es siempre el crimen del siglo. Bobby se ha buscado la ruina él solito, no nos engañemos. Pero cada vez que comete una barrabasada, Glen encuentra la forma de justificarle. ¿Entiende lo que le digo?

Me encogí de hombros sin mojarme el culo.

—No estoy al tanto de las actividades de Bobby.

Llegó la segunda ronda de bebidas y Derek tomó un sorbo de la suya como si se ganara la vida probando cócteles de vermut. Asintió con discreción y dejó el vaso en el centro justo del posavasos. Se rozó las comisuras de la boca con los nudillos. Los movimientos se le volvían fluidos y los ojos empezaban a movérsele en las órbitas como un par de canicas en un recipiente de mercurio. Desde mi punto de vista, Kitty había cogido un colocón equivalente, sólo que con barbitúricos en vez de ginebra.

El camarero sacó del frigorífico un par de cervezas y se dirigió al otro extremo de la barra para servir a un cliente.

Derek bajó la voz.

—Lo que voy a contarle ha de quedar entre nosotros dos y los taburetes —dijo—. El muchachito ha recibido un par de citaciones por conducir borracho, y hace más de un año dejó inconsciente a una niña en un accidente de coche. Glen prefiere creer que son travesuras, dice que ya se sabe cómo son los jóvenes y bobadas por el estilo, pero si Kitty se pasa de la raya una sola vez, entonces ya es el acabóse.

Comenzaba a comprender por qué pensaba Bobby que aquel matrimonio no iba a durar. Estaban enfrentados en una lucha sin cuartel, papá contra mamá, e íbamos ya por las semifinales. Esbozó una sonrisa forzada que quiso ser simpática y pasó a situarse en terreno neutral.

—¿Por dónde empieza cuando trabaja en un caso así? —preguntó.

—Aún no lo sé. Suelo husmear un poco, compruebo antecedentes, descubro una pista y la sigo para ver adónde me conduce. —Le observé mientras asentía como si le hubiera dicho algo realmente significativo.

—Pues le deseo suerte. Bobby no es mal chico, pero a veces hace de las suyas. Hay en él más cosas de las que pueden apreciarse a simple vista —dijo con expresión de complicidad. No se le trababa la lengua al hablar, aunque empezaba a pronunciar las consonantes indistintamente. Volvió a esbozar la sonrisa simpática de mensaje malicioso. Toda su actitud daba a entender que podía hablar con franqueza absoluta si quisiera, pero que se contenía por discreción. No le tomé en serio. Maquinaba algo y al parecer no se daba cuenta de que era transparente como el cristal. Tomé un sorbo de vino mientras calculaba si le podría sonsacar más datos de interés.

Consultó la hora.

—Será mejor que vuelva a casa. Hay que dar la cara. —Apuró lo que le quedaba en el vaso y abandonó el taburete. Sacó la cartera y pasó el dedo por varios fajos de billetes hasta que encontró uno de cinco y otro de diez, que dejó sobre la barra.

—¿Se habrá enfadado Glen?

Sonrió para sí como si se le hubieran ocurrido varias contestaciones.

—Glen siempre está enfadada estos días. El cumpleaños ha sido una mierda. Eso es lo que pienso.

—Puede que salga mejor el año que viene. Gracias por la bebida.

—Gracias a usted por venir. Le agradezco su preocupación. Si puedo hacer algo por usted, no tiene más que decírmelo.

Anduvimos media manzana, hasta llegar a mi coche, y nos separamos. Por el espejo retrovisor vi que se dirigía con paso inestable hacia el parking de las visitas, en el otro extremo del hospital. Sospeché que fingía más control del que tenía. Sólo habíamos estado treinta minutos en el Plantación y le había visto zamparse dos cócteles de vermut. Arranqué, tracé una herradura y me detuve junto a él. Me incliné sobre el asiento contiguo y abrí la portezuela del copiloto.

—Si quiere que le lleve...

—No, gracias, estoy bien —dijo. Permaneció erguido un instante, balanceándose un poco. Comprendí el mensaje que emitía su sistema nervioso central. Inclinó la cabeza, frunció el ceño, entró en mi coche y cerró de un portazo.

—Ya tengo bastantes problemas, ¿verdad?

—Verdad —dije.

7

Al llegar a la oficina a las nueve de la mañana del día siguiente, vi que el abogado de Bobby me había enviado una copia del primer informe del accidente, junto con las notas relativas a la investigación incoada y muchas fotos en color que revelaban con detallismo satinado lo destrozado que había quedado el coche de Bobby y cómo se había producido la muerte de Rick Bergen a consecuencia de la caída. El cadáver, aplastado y magullado, se había encontrado en mitad de la pared montañosa. Aparté los ojos de la fotografia como si me hubiesen puesto en la cara un foco potentísimo y un escalofrío me recorrió el espinazo. Tuve que hacer un esfuerzo sobrehumano para observar los detalles con objetividad. Las luces del fotógrafo de la policía habían falseado el escenario negro de la noche de tal manera que la muerte parecía exageradamente truculenta, como en esas películas de terror donde el presupuesto y el guión no dan para más. Repasé por encima la colección entera hasta que di con las que recogían las imágenes del accidente en cuanto tal.

El Porsche de Bobby se había llevado por delante un buen pedazo de pretil, había partido por la base una carrasca, arañado rocas y cavado una trinchera entre los matojos, dando al parecer cinco o seis vueltas de campana antes de quedar inmóvil en el fondo del desfiladero, convertido en un amasijo de metales doblados y vidrios rotos. Se había fotografiado el coche desde perspectivas distintas, por delante y por detrás, para dar constancia de su posición relativa respecto de diferentes puntos del terreno; también había primeros planos de Bobby antes de que los de la ambulancia lo sacaran del coche. «Mierda», murmuré entre dientes. Dejé estar las fotos unos instantes y me llevé la mano a los ojos. Aún no me había tomado el café matutino y allí me tenías mirando un par de cuerpos forrados con sus propias entrañas.

Abrí el balcón y salí a tomar un poco el fresco. A mis pies, State Street estaba en orden y en silencio. Había poco tráfico y los peatones obedecían las señales como si fueran protagonistas de una de esas películas educativas que se pasan en los colegios para que los niños aprenden a andar por la calle. Los ciudadanos parecían gozar de buena salud y paseaban por las aceras con los miembros intactos y la carne cubriéndoles los huesos, como está mandado. El sol brillaba en un cielo sin nubes y las ramas de las palmeras permanecían inmóviles, ya que no soplaba la menor corriente de aire. Todo parecía de lo más normal, aunque sólo por el momento y hasta donde la vista me alcanzaba. Donde menos se esperaba podía saltar la muerte, igual que esos muñecos siniestros que salen de repente de una caja, con una mueca de crispación asesina.

Volví al interior, preparé la cafetera de filtro, me senté a la mesa, repasé otra vez las fotos y me puse a leer con atención y detenimiento los informes de la policía. Había también una copia del resultado de la autopsia de Rick Bergen, y advertí que la había practicado Jim Fraker, que por lo visto se dedicaba también a aquellos menesteres en el St. Terry. Santa Teresa es demasiado pequeña para que la policía tenga su depósito de cadáveres particular y su propio forense, y hay que contratar a especialistas ajenos a la administración.

El informe redactado por el doctor Fraker reducía pragmáticamente el fallecimiento de Rick a una serie de observaciones sobre el traumatismo craneocerebral sufrido por la víctima, con todo un catálogo de abrasiones, contusiones, avulsiones en el intestino delgado, laceraciones en el mesenterio y daños óseos en cantidad y proporción suficiente para garantizar el viaje de Rick al otro mundo.

Cogí la máquina de escribir y abrí un expediente a nombre de Bobby Callahan. Me tranquilizó someter el caos de datos aislados que obraba en mi poder a una escueta relación cronológica. Registré el cheque que me había dado Bobby, tomé nota del número de factura y archivé la copia del contrato que habíamos firmado. Apunté el nombre y dirección de los padres de Rick Bergen y de la ex novia de Bobby, y elaboré una lista de las personas que se habían encontrado en casa de Glen Callahan la noche anterior. No improvisé ninguna hipótesis. No incluí opiniones personales. Me limité a mecanografiar lo que sabía, agujereé los papeles con la perforadora de agujero doble, los inserté en una carpeta de tapas blandas y guardé esta última en el archivador.

Consulté la hora. Las diez y veinte. El régimen fisioterapéutico de Bobby consistía en tandas diarias de ejercicios, el mío en visitas al gimnasio los lunes, miércoles y viernes. Puede que aún estuviera allí. Cerré el despacho, bajé por las escaleras de atrás y fui a buscar el coche. Puse rumbo a Santa Teresa en Forma, llené el depósito en el camino y pesqué a Bobby cuando ya salía del edificio. Aún tenía el pelo húmedo a causa de la ducha, y de la piel le emanaba el olor perfumado del jabón Coast. A pesar de la parálisis facial, del brazo izquierdo inutilizado y de la cojera, parte del antiguo Bobby Callahan, joven y fuerte, seguía resplandeciendo entre las ruinas con el saludable aspecto de los surfistas californianos. En las fotos lo había visto hecho pedazos y al compararlo ahora con las imágenes del pasado me parecía milagrosamente entero, aun con las cicatrices que le cuarteaban la cara como tatuajes hechos por un aprendiz. Al verme, esbozó una sonrisa quebrada y se limpió el mentón con un gesto automático.

—No esperaba verte aquí esta mañana —dijo.

—¿Cómo han ido los ejercicios?

Cabeceó en sentido lateral, como para decir «así así». Le enlacé el brazo con el mío.

—Quisiera pedirte algo, pero no estás obligado a aceptar —dije.

—¿Qué es?

Titubeé antes de decírselo.

—Quiero que me acompañes al desfiladero y me indiques el lugar por donde cayó el coche.

La sonrisa le desapareció de la cara. Apartó los ojos de mí y se puso otra vez en movimiento, avanzando hacia el coche con los saltitos rítmicos de siempre.

—De acuerdo, pero antes quisiera pasar por el hospital para ver a Kitty.

—¿Le permiten recibir visitas?

—Sé cómo entrar —dijo—. Los minusválidos molestan a la gente y por lo general consigo lo que quiero.

—Niño mimado —dije.

—Hay que sacarle partido a todo —replicó, algo avergonzado.

—¿Quieres coger el coche?

Negó con la cabeza.

—Lo dejaremos en casa e iremos en el tuyo.

Esperé en el parking de las visitas del St. Terry mientras Bobby iba a ver a Kitty. Supuse que ya se habría recuperado, que seguiría cabreada y que estaría armando las mil y una en el pabellón psiquiátrico. No me apetecía ver el espectáculo. Ya hablaría con ella al cabo de un par de días, por ahora era preferible que se calmase. Puse la radio y tabaleé en el volante al ritmo de la música. Dos enfermeras cruzaron el parking con su uniforme blanco, zapatos blancos, medias blancas y una capa azul marino que parecía de la época de la primera guerra mundial. Por fin salió Bobby del edificio y se acercó cojeando y con cara de preocupación. Entró en el coche. Apagué la radio, encendí el motor y salí del parking reculando.

—¿Todo bien?

—Sí, por supuesto.

Estuvo en silencio mientras yo ponía rumbo a las afueras y giraba a la izquierda para tomar la carretera de segundo orden que cruza el arrabal de Santa Teresa que se alza al pie de las colinas. El cielo estaba despejado y era de un azul desangelado, como el de esas pinturas semibrillantes que se aplican con rodillo. Hacía calor, las montañas eran pardas, estaban resecas, como gavillas de leña amontonadas. Los matojos que bordeaban la carretera se habían decolorado y adquirido un matiz pajizo; de tarde en tarde veía algunos lagartos encaramados a las rocas, grises, inmóviles, semejantes a ramas de árbol.

Llegamos a la cuesta. La estela doble de la carretera asfaltada se retorcía formando ángulos que ascendían la falda de la montaña. Cambié dos veces de marcha, pero el Cucaracha se quejó de todos modos al emprender la subida.

—Me pareció recordar algo —dijo Bobby por fin—. Pero no lo acababa de concretar. Por eso quería ver a Kitty.

—¿Qué era?

—Yo tenía un cuaderno de direcciones. Pequeñito, con tapas de piel, del tamaño de una baraja. Barato. Rojo. Se lo di a alguien para que me lo guardase, pero he olvidado a quién. —Se detuvo y cabeceó vencido por la confusión.

—¿Recuerdas por qué era importante?

—No. Recuerdo que estaba nervioso por algo relacionado con él, que era mejor no llevarlo encima porque era peligroso para mí, por eso se lo confié a otra persona. Pensaba recuperarlo después, esto lo recuerdo con claridad. —Se encogió de hombros y lanzó un bufido irónico—. Tantas precauciones y ya ves.

—¿Fue antes o después del accidente?

—No lo sé. Sólo recuerdo que se lo di a alguien.

—¿Y no era peligroso para la persona a quien se lo diste?

—Creo que no. Hostia. —Deslizó el trasero en el asiento para apoyar la cabeza en el respaldo. Oteó por el parabrisas el perfil de las montañas grises de la izquierda y en cuya cima estaba el desfiladero—. No soporto esta sensación. No soporto saber que supe algo a lo que ahora no tengo acceso. Es como una imagen aislada y sin detalles. Sin ninguna pista para la memoria y sin forma por tanto de situarla en el tiempo. Es como recomponer un rompecabezas sobre un tablero agujereado.

—Pero ¿qué ocurre cuando no puedes recordar? ¿Se recupera algo de información o sencillamente ha dejado de existir?

—A veces recuerdo cosas, pero por lo general tengo la memoria en blanco... como un agujero en el fondo de una caja por el que se ha salido lo que hubiera dentro.

—¿Qué hizo que te acordaras del cuaderno?

—Lo ignoro. Estaba mirando en un cajón y de pronto vi el bloc de piel encarnada que hacía juego con el cuaderno. Fue algo impensado, como un relámpago asociativo. —Guardó silencio. Me volví para mirarle y me di cuenta de que estaba en tensión. Empezó a darse masajes en la mano inútil, a ordeñarse los dedos como si fuesen ubres alargadas de caucho.

—¿Kitty no sabía nada?

Negó con la cabeza.

—¿Qué tal está? —añadí.

—Ya se puede levantar. Creo que Derek pasará a verla más tarde... —Se interrumpió. Faltaba poco para la cima y empezó a temblarle un músculo próximo al ojo izquierdo.

—¿Estás seguro de que puedes aguantarlo? —le pregunté.

Miraba con suma atención a un lado de la carretera.

—Es aquí. Para donde puedas.

Miré por el espejo retrovisor. Tenía detrás tres vehículos, pero la carretera a partir de aquel punto comenzaba a tener dos carriles en vez de tres. Me hice a la derecha y vi un andén cubierto de grava para aparcar. El puente, con sus pretiles bajos de cemento, se encontraba a diez metros de nosotros. Bobby estaba inmóvil, mirando a la derecha.

El valle se abre en el punto donde la carretera comienza a descender, y las montañas se prolongan hasta el infinito en una sucesión de ondulaciones de color lila que se incrustan en el borde inferior del cielo. El calor de agosto despertaba vapores trémulos y silenciosos. La tierra era allí primitiva, como si no hubiera cambiado en miles de años. Las hayas virginianas moteaban a lo lejos el paisaje, hirsuto, sombrío y jorobado como un bisonte. Hacía meses que no llovía y todo parecía calcinado e incoloro.

A pocos pasos de nosotros, el arcén se curvaba y caía en picado para formar el precipicio traidor que hacía nueves meses había estado a punto de causarle la muerte a Bobby. La valla metálica de la carretera se había reparado, pero en el puente faltaba aún un pedazo de pretil.

–El coche que nos seguía empezó a darnos topetazos nada más llegar a la cima de la montaña –dijo. Pensé que iba a continuar y esperé.

Se adelantó unos pasos, la grava le crujió bajo las suelas. Saltaba a la vista que estaba inquieto cuando se asomó para contemplar la pared del desfiladero. Volví la cabeza para mirar los escasos coches que pasaban. Ninguno nos prestó la menor atención.

Observé el lugar con detenimiento, reconocí uno de los pedruscos arañados que había visto en las fotos y, más abajo, el tocón de la carrasca cortada por la base. La policía de Santa Teresa había limpiado la zona de todo rastro del accidente, así que era absurdo coger una lupa o ponerse a buscar hilachas en los matojos.

–¿Has estado alguna vez a punto de morir? –dijo volviéndose.

–Sí.

–Recuerdo que pensé: ya está, me ha llegado la hora. Se me desconectaron todos los cables. Me sentí como una planta arrancada de raíz. Flotando en el aire. –Hizo una pausa–. Luego tuve frío, me dolía todo, la gente me hablaba y no entendía ni una palabra. Eso fue en el hospital, habían transcurrido dos semanas. Desde entonces me pregunto si será así como se sienten los recién nacidos. Igual de confusos y desorientados. Indefensos. Tenía que esforzarme lo indecible para mantenerme en contacto con el mundo. Para echar raíces nuevas. Sabía que podía elegir. Nada me atraía, nada me ataba y era muy fácil dejarme ir como un globo y alejarme volando.

—Pero te quedaste.

—Jo, por decisión de mi madre. Veía su cara cada vez que abría los ojos. Y cuando los cerraba, oía su voz. «Ya verás cómo salimos de ésta, Bobby», me decía. «Entre los dos lo conseguiremos.»

Volvió a guardar silencio. Pensé: Dios mío, tiene que ser fabuloso tener una madre que te quiera tanto. Mis padres habían fallecido cuando yo tenía cinco años, en un accidente de tráfico espantoso. Era domingo e íbamos de excursión; nos dirigíamos a Lompoc cuando un peñasco inmenso se desprendió de la montaña y nos cayó en la parte delantera del coche. Mi padre murió en el acto y chocamos. Yo iba en el asiento de atrás, y a causa del impacto, me estrellé contra el suelo y quedé empotrada en el chasis. Mi madre tardó un rato en morir, gimió, lloró y al final cayó en un mutismo que intuí de mal agüero y definitivo. Atrapada entre los muertos que amaba y que me habían abandonado para siempre, tardaron horas en sacarme del vehículo destrozado. Se hizo cargo de mí una tía que no tenía pelos en la lengua, que me educó lo mejor que supo y que me quiso muchísimo, pero era tan pragmática que fue incapaz de darme algo que también necesitaba.

Bobby había estado rodeado de un amor tan grande que había sido este amor lo que lo había rescatado de la tumba. Era extraño, pero a pesar de estar hecho un inválido me dio tanta envidia que los ojos se me anegaron en lágrimas. Se me formó una burbuja de risa y me miró con desconcierto. Saqué un pañuelo de papel y me soné la nariz.

—Acabo de darme cuenta de que te envidio un montón —dije.

Sonrió con melancolía.

—Por algo se empieza.

Volvimos al coche. No había habido ninguna reacción rememorativa, pero yo había visto el pozo hediondo al que había sido arrojado y había sentido que se estrechaba el vínculo que nos unía.

—¿Has vuelto alguna vez desde el accidente?

—No. No tenía valor suficiente y nadie me lo sugirió nunca. Sólo de verlo me he puesto a sudar.

Puse el coche en marcha.

—¿Te apetece una cerveza?

—¿Te apetece a ti un bourbon con hielo?

Fuimos al pub La Diligencia, que está junto a la carretera principal, y estuvimos charlando el resto de la tarde.

8

Cuando a eso de las cinco llegamos a su casa, titubeó a la hora de salir del coche y se detuvo, como había hecho antes, con la mano en la portezuela y mirándome.

—¿Sabes qué me gusta de ti? —dijo.

—¿Qué?

—Cuando estoy contigo, no estoy pendiente de mí, ni pienso que soy un tullido o que estoy hecho un espantajo. No sé cómo te las apañas, pero me gusta.

Le miré durante unos instantes y me sentí extrañamente apocada.

—Es que cuando te veo me acuerdo de un regalo de cumpleaños que me enviaron por correo. Se había desgarrado el envoltorio y la caja estaba aplastada, pero el contenido era magnífico. Me gusta tu compañía.

Esbozó y borró una semisonrisa. Miró hacia la casa y volvió a posar los ojos en mí. Tenía algo más en la cabeza, pero al parecer le daba vergüenza confesarlo.

—Qué —dije para darle ánimos.

Ladeó la cabeza y comprendí el brillo de su mirada.

—Si estuviera bien... si no me faltase nada, ¿te habría pasado por la cabeza la idea de enrollarte conmigo? Ya sabes, en plan tío-tía.

—¿Quieres que te diga la verdad?

—Sólo si es agradable.

Me eché a reír.

—La verdad es que si te hubiera conocido antes del accidente, me habrías intimidado. Eres demasiado apuesto, demasiado rico y demasiado joven. Por lo tanto tengo que decirte que no. Si no «te faltase nada», como tú mismo has dicho, probablemente no te habría conocido. No eres mi tipo, eso es todo.

—¿Cuál es tu tipo?

—Aún no lo sé.

Me miró durante un minuto con expresión risueña.

—¿Te importaría decirme qué estás pensando? —dije.

—¿Cómo puedes darle la vuelta a las cosas y hacer que me sienta contento de ser un mutilado?

—Pero ¿qué dices? Tú no eres ningún mutilado, hostia. Hasta luego.

Sonrió, cerró de un portazo y retrocedió para que yo pudiera dar la vuelta y poner rumbo al camino de entrada.

Volví a casa. No eran más que las cinco y cuarto. Aún tenía tiempo de correr un rato, aunque me pregunté si sería prudente. La primera mitad de la tarde me la había pasado con Bobby, bebiendo cerveza, bourbon y vino malo, y comiscando pinchos morunos con un pan más duro que una piedra. En realidad me apetecía más echar una siesta que correr, pero pensé que me convenía un poco de disciplina.

Me puse el chándal y recorrí cinco kilómetros mientras hacía gimnasia mental ordenando los datos del caso. Estaba lleno de puntos oscuros y no sabía por dónde empezar. Pensé que lo mejor sería hablar primero con el doctor Fraker, del Departamento de Patología del St. Terry; puede que al mismo tiempo le hiciera una visita rápida a Kitty; luego me dirigiría a los archivos del periódico y me enfrascaría en la aburrida tarea de consultar las noticias locales anteriores al accidente para saber qué se cocía en la ciudad por entonces. Puede que se hubiera producido algún acontecimiento que tuviera que ver con el atentado criminal que Bobby afirmaba haber sufrido.

A eso de las siete fui a Rosie's a tomar un vino. Me sentía intranquila y me pregunté si no habría puesto Bobby algo en movimiento. Era bonito tener un chico con quien charlar, bonito pasar una tarde en buena compañía, bonito pensar con alegría que vas a ver a alguien. No sabía cómo calificar nuestra relación. Lo que sentía por él no era un afecto maternal, de ninguna manera. Puede que fuese fraternal. Pensaba en él como en un buen amigo y le admiraba con toda la admiración que suele sentirse por un buen amigo. Era divertido y estar con él me serenaba. Había estado sola tanto tiempo que cualquier relación me resultaba seductora.

Me sirvieron el vaso de vino en la barra, me dirigí al reservado del fondo y me puse a inspeccionar el local. Para ser martes por la noche había bastante animación; vamos, dos tipos discutiendo en la barra con voz nasal y una pareja de ancianos del barrio compartiendo una fuente de pasteles de jamón. Rosie estaba en la barra fumando un cigarrillo que le envolvía la cabeza con una aureola de nicotina y laca. Tiene sesenta y tantos años, es húngara y marimandona, se pone sayas tropicales estampadas, se tiñe las guedejas de color caoba, se las peina con raya al medio e inmoviliza las dos mitades con pulverizadores de laca que vienen muriéndose de risa en las perfumerías desde que a mediados de los sesenta pasó de moda el pelo cardado. Tiene la nariz larga, el labio superior corto y unos ojos que convierte con el lápiz en sendas rendijas de aire suspicaz. Es bajita, tetuda y de ideas fijas. Hace pucheros, además, frunciendo los labios, lo que a su edad es ridículo pero efectivo. El cincuenta por ciento de las veces no la aguanto, pero nunca deja de fascinarme.

Su establecimiento es tan basto y original como ella. La barra discurre a lo largo de la pared izquierda, y en lo alto de ésta hay un gran pez espada disecado que, sospecho, no ha estado vivo jamás. En el extremo de la barra hay un televisor en color al que se le ha quitado el sonido y cuyas imágenes bailotean como mensajes de otro planeta donde se viviese a lo loco. El local siempre huele a cerveza, tabaco y un aceite para cocinar que habría tenido que tirarse la semana anterior. En el centro hay seis o siete mesas rodeadas de sillas de cromo y plástico que parecen sacadas de la cocina de un albañil de los años cuarenta. Los ocho reservados de la pared derecha se han construido a base de chapa decorada con manchas de color nuez e insinuaciones groseras garabateadas por sinvergüenzas que por lo visto quisieron probar suerte en el lavabo de señoras. Puede que Rosie no conoce lo suficiente nuestro idioma para adivinar el significado verdadero de estos gritos de guerra tan primitivos. También cabe la posibilidad de que expresen sus sentimientos al pie de la letra. Tratándose de ella es difícil saberlo.

Me volví para mirarla y advertí que se había puesto muy tiesa y que con los párpados entornados miraba hacia la puerta de reojo. Seguí la dirección de su mirada. Henry acababa de entrar en compañía de su última amiga, Lila Sams. Las antenas de Rosie, por lo visto, se habían enderezado automáticamente; Spock vestido de mujer. Henry dio con una mesa soportablemente limpia y apartó una silla. Lila tomó asiento en ella y se puso en el regazo el enorme bolso de plástico como si fuera un perrito faldero. Llevaba un vestido de algodón con un estampado fabuloso, amapolas rojas sobre fondo azul, y una permanente a base de bucles que parecían hechos aquella misma tarde. Henry tomó asiento y se volvió hacia los reservados, donde sabe que suelo encontrarme. Le saludé con el dedo y me devolvió el saludo. La cabeza de Lila se volvió en mi dirección y la sonrisa que esbozaba adquirió un rictus de falsa alegría.

Rosie, mientras tanto, había dejado el periódico vespertino, había abandonado el taburete y se deslizaba pegada a la barra igual que un tiburón. No tuve más remedio que deducir que ella y Lila ya se habían visto en una ocasión anterior. Contemplé la escena con interés. Podía ser casi tan divertida como *King Kong contra Bambi* en el cine de mi barrio. Aunque se trataba más bien de una película muda, dado el lugar en que me encontraba.

Rosie había sacado el cuaderno de los pedidos. Se quedó mirando a Henry como si éste estuviera solo, cosa que también hace conmigo siempre que me presento con un hombre. Rosie no habla con desconocidos. Y no mira a los ojos a nadie que no haya estado ya varias veces en el local, sobre todo si se trata de mujeres. Lila se deshacía en parpadeos, trémolos, manoteos. Henry cambió impresiones con ella y pidió por los dos. Siguió una discusión larga. Supuse que Lila había pedido algo que no encajaba en los presupuestos teóricos de Rosie sobre la alta cocina húngara. A lo mejor no quería pimientos o le apetecía algo asado en vez de frito. Lila parecía la típica mujer atormentada por mil tabúes alimentarios. Rosie sólo tenía uno. O te comías lo que te ponía delante, o te ibas a otra casa de comidas. Lila, por lo visto, no podía creer que no se le pudiera servir lo que quería. Confusión, conmoción, movimientos y ruidos beligerantes, todo ello protagonizado por Lila. Rosie no decía ni palabra. El local era suyo. Podía hacer lo que le diese la gana. Los dos individuos de la barra que habían estado discutiendo de política se volvieron para contemplar el espectáculo. La pareja que comía *sonkás palacsinta* quedó inmóvil, tenedores en alto.

Lila echó atrás la silla con violencia. Durante un segundo creí que iba a darle un bolsazo a Rosie. Pero se limitó a hacerle lo que se me antojó una observación ofensiva y desfiló hacia la puerta, seguida por Henry. Rosie seguía imperturbable, sonriéndose como hacen los gatos cuando sueñan con ratones. Los cinco clientes que llenábamos el local nos quedamos como estatuas, ocupados sabiamente en nuestros propios asuntos, no fuera que Rosie la tomara con nosotros sin más ni más y se negara a servirnos de por vida.

Tardó veinte minutos en encontrar un pretexto para acercarse a mi mesa. Mi vaso ya estaba vacío y vino hacia mí con una copa llena de un caldo peleón no identificado. Dejó la copa en la mesa y juntó las manos a la altura del vientre sin dejar de removerse con inquietud. Lo hace cuando quiere llamar la atención o cuando piensa que no se le ha elogiado lo suficiente algún detalle culinario.

—Parece que le has dado su merecido —comenté.

—Es una ordinaria. Una criatura insoportable. Ya estuvo aquí una vez y no me gustó ni un pelo. Henry tiene que haberse vuelto loco para presentarse en esta casa con una pindonga como ésa. ¿Quién es?

Me encogí de hombros.

—Sólo sé que se llama Lila Sams. Le ha alquilado una habitación a la señora Lowenstein y él está que se derrite por ella.

—Yo sí que la voy a derretir de una hostia como vuelva por aquí. Habrías tenido que ver las gilipolladas que hacía con los ojos. —Hizo una mueca para imitar a la amiga de Henry y solté la carcajada. Rosie no suele tener sentido del humor, y yo ignoraba que tuviese tales dotes de observación, por no hablar de su habilidad para la mímica. Aunque la verdad es que lo había hecho muy en serio—. Además, ¿qué quiere de él?

—¿Por qué crees que quiere algo? Puede que sólo quieran hacerse un poco de compañía. Por si te interesa saberlo, Henry me parece muy atractivo.

—¡Nadie te ha preguntado! Es muy atractivo. Y muy legal también. ¿Por qué busca entonces compañía con esa víbora?

—Como suele decirse, Rosie, sobre gustos no hay nada escrito. Puede que tenga cualidades compensadoras que no se ven a simple vista.

—¿Esa? Venga ya. Esa no busca nada bueno. Voy a hablar con la señora Lowenstein. ¿Qué bicho le habrá picado para alquilarle una habitación a una mujer así?

Me puse a pensar justamente en aquello mientras recorría la media manzana que había hasta mi casa. La señora Lowenstein es una viuda que posee un montón de inmuebles en el barrio. No me cabía en la cabeza que necesitase dinero y tenía curiosidad por saber cómo había llegado Lila Sams a su puerta.

Vi encendida la luz de la cocina de Henry y oí la voz chillona y desconsolada de Lila. El encuentro con Rosie le había hecho perder los papeles y al parecer eran inútiles todos los murmullos consoladores de Henry. Abrí la puerta de mi casa, entré y me olvidé del altercado.

Estuve una hora leyendo –seis emocionantes capítulos de un libro sobre los desvalijadores de pisos– y me fui temprano a la cama, donde me envolví en el edredón. Apagué la luz y estuve un rato a oscuras. Habría jurado que seguía oyendo los gemidos de Lila, que subían y bajaban de volumen igual que el zumbido de un mosquito cuando se encapricha con una oreja. No distinguía las palabras, pero el tono me resultaba inconfundible: despectivo y malhumorado. Puede que Henry acabara por darse cuenta de que no era tan mundana y desenvuelta como decía. O no. Nunca dejan de sorprenderme las tonterías que hacen los hombres y las mujeres cuando les pica el sexo.

Me desperté a las siete, me tomé un café mientras leía el periódico y luego me dirigí a Santa Teresa en Forma para hacer los ejercicios del miércoles. Me sentía ya más fuerte y los dos días de *footing* me habían dejado en las piernas una saludable sensación de cansancio. La mañana era luminosa, aún no hacía calor y el cielo estaba tan despejado como un lienzo a punto de pintarse. El parking del gimnasio estaba casi lleno y empotré el Cucaracha en el único hueco vacío que quedaba. Vi el coche de Bobby dos plazas más allá y sonreí al pensar que lo iba a ver.

A pesar de ser miércoles, el gimnasio estaba sorprendentemente poblado, cinco o seis individuos que pesarían ciento treinta kilos por cabeza hacían levantamiento de peso, dos mujeres con *body* practicaban la bicicleta y un monitor vigilaba los ejercicios de una actriz joven cuyo trasero se despachurraba y ensanchaba como si fuese de cera caliente. Vi a Bobby haciendo flexiones junto a la pared del fondo.

Debía llevar un rato en el gimnasio porque tenía la camiseta bordeada de sudor y el pelo rubio repartido en mechas húmedas. No quise interrumpirle, así que dejé en el suelo la bolsa de deportes y me dediqué a lo mío.

Comencé haciendo flexiones de brazos con unas pesas muy ligeras y me fui concentrando a medida que entraba en calor. Como ya me sabía de memoria los ejercicios, tenía que esforzarme para que no me venciera la impaciencia. No soy persona metódica. Me gustan los finales, las conclusiones, la llegada en vez de la carrera que le precede. Las repeticiones me crispan. No sé ni cómo me las arreglo para hacer *footing* todos los días. Me puse a hacer torsiones de muñeca mientras con la imaginación me saltaba los ejercicios y fantaseaba con que ya había terminado. Puede que Bobby quisiera comer conmigo si no tenía nada que hacer.

Oí un estrépito, luego un ruido sordo y alcé los ojos a tiempo de ver que Bobby perdía el equilibrio y caía sobre un montón de discos de varios kilos. Saltaba a la vista que no se había hecho daño, pero fue entonces cuando al parecer me vio por vez primera y le dio una vergüenza enorme. Se sonrojó mientras manoteaba para ponerse en pie. Un sujeto que estaba en un aparato contiguo le alargó la mano con indiferencia y le ayudó a levantarse. Bobby se incorporó totalmente cohibido y gesticuló para alejar al que le había ayudado. Se dirigió al aparato de fortalecer las pantorrillas con actitud retraída y malhumorada. Seguí haciendo ejercicios como si no hubiera visto nada, pero continué observándole a hurtadillas. A pesar de que estaba lejos de él, advertía su hosquedad y su crispación facial. Dos hombres se volvieron para mirarle con lástima disfrazada de interés. Bobby se limpió la barbilla, concentrado en sí mismo. Sufrió en la pierna izquierda una especie de calambre convulsivo y se cogió la rodilla con rabia. La pierna se le había independizado y sufría espasmos intermitentes que se resistían a todo control. Lanzó un gemido y se golpeó la pierna con furia, como si quisiera reducirla a puñetazos. Me entraron ganas de correr a su lado, pero sabía que sólo conseguiría empeorar las cosas. Había hecho un gran esfuerzo y todo el cuerpo le temblaba a causa del cansancio. El calambre pareció desaparecerle con la misma brusquedad con que había comenzado. Se pasó los dedos por los ojos sin levantar la cabeza. Cuando por fin pudo levantarse, cogió una toalla de un manotazo y se dirigió hacia las taquillas, renunciando a los ejercicios que le faltaban.

Hice los que me faltaban a mí a toda velocidad y me duché lo más aprisa que pude. Temía que se hubiese ido ya, pero al dirigirme al parking vi que su coche seguía donde lo había visto al entrar. Estaba abrazado al volante, con la cabeza apoyada en las manos y con los hombros sacudidos por una sucesión de sollozos bruscos. Titubeé unos segundos y me acerqué al vehículo por el lado del copiloto. Entré, cerré y le hice compañía hasta que se le pasó. No podía consolarle. No podía hacer nada por él. Ignoraba cómo afrontar su dolor o su desesperación y mi única esperanza radicaba en que, en virtud de mi presencia, supiese que contaba con mi simpatía y que estaba preocupada.

Se le pasó poco a poco y, cuando estuvo recuperado, se secó los ojos con una toalla y se sonó la nariz con la cara gacha.

—¿Te apetece un café?

Negó con la cabeza.

—Déjame en paz, ¿quieres? —dijo.

—No tengo nada que hacer.

—Bueno, pues ya te llamaré si tengo ganas.

—Como quieras. Haré un par de cosas y nos llamaremos esta tarde. ¿Necesitas algo mientras?

—No. —Hablaba con apatía ahora, como si nada le importase.

—Bobby...

—¡Que no! Vete a la mierda, déjame en paz.

Abrí la portezuela.

—Te daré un toque —dije—. Cuídate.

Se lanzó sobre la manija de la puerta y cerró de golpe. Arrancó con un rugido y me hice a un lado mientras él reculaba con un chirrido de neumáticos y abandonaba el parking como una exhalación, sin mirar atrás en ningún momento.

Fue la última vez que lo vi con vida.

9

El Departamento de Patología del St. Terry es subterráneo y está situado en el centro de un laberinto de pequeños despachos. Los pasillos discurren y se ramifican en todas direcciones a lo largo de varios kilómetros, comunicando entre sí los departamentos ajenos a la medicina que se encargan del funcionamiento real de la institución: mantenimiento, gestión económica, ingeniería, administración general. Mientras que las plantas superiores se han adecentado y habilitado con buen gusto, la decoración del subsuelo conjuga las baldosas marrones de material sintético con la pintura de color hueso barnizado. El aire es seco y caliente, y por algunas puertas entreabiertas se ven máquinas amenazadoras y tubos de conducción eléctrica, anchos como desagües de retrete.

Aquel día había un tráfico regular de peatones uniformados, tan pálidos e inexpresivos como los habitantes de una ciudad subterránea que suspirasen por la luz del sol. El Departamento de Patología destacaba de un modo agradable: era grande, estaba bien iluminado, contaba con un mobiliario elegante que combinaba el gris y el azul de montaña, y en él trabajaban entre cincuenta y sesenta técnicos que clasificaban las muestras de sangre, hueso y tejido que les enviaban de arriba. El equipo informatizado rechinaba, zumbaba y traqueteaba, eficazmente asistido por un batallón de expertos. Los ruidos eran sordos, los teléfonos tintineaban con delicadeza en el aire artificial. Hasta las máquinas de escribir parecían tener sordina mientras registraban discretamente los secretos de la condición humana. Había orden, eficiencia y tranquilidad, y dominaba la sensación de que por lo menos el dolor y la justa ira que suscita la enfermedad se controlaban. La muerte se tenía a raya, se medía, se calibraba, se analizaba. Cuando ésta ganaba un combate, el equipo perdedor analizaba los resultados y los introducía en el banco de datos de la maquinaria. El papel brotaba sin cesar, infinito como una carretera y adornado de jeroglíficos. Me quedé un momento en la puerta, impresionada por lo que veía. Eran detectives del microscopio que andaban tras asesinos de un orden distinto de los que yo perseguía.

—¿Qué desea?

Me fijé en la recepcionista, que me estaba observando.

—Busco al doctor Fraker. ¿Sabe si está aquí?

—Debería estar. Siga ese pasillo, gire a la izquierda en el primer cruce, luego a la izquierda otra vez y pregunte por allí.

Lo encontré en un compartimiento modular de paredes recubiertas de estanterías y amueblado con una mesa, un sillón giratorio, macetas y cuadros. Estaba repantigado en el sillón, con los pies apoyados en el borde de la mesa y hojeando un libro de medicina del tamaño del *Diccionario Oxford de la Lengua Inglesa.* Tenía en la mano unas gafas bifocales sin montura y mientras leía chupeteaba una de las patillas. Era un hombre fornido, de espaldas anchas y muslos gruesos. Tenía el pelo espeso, de un blanco plateado, y su piel poseía la tonalidad cálida de una tiza de color carne. Los años le habían dejado en la cara unas arrugas poco pronunciadas, como las de las sábanas de algodón que, al acabar la colada, necesitan almidonarse y pasar por la plancha. Vestía la bata verde de los cirujanos y calzaba los chanclos de rigor.

—¿Doctor Fraker?

Alzó la mirada y en sus ojos grises destelló una señal de reconocimiento. Me señaló con el dedo.

—La amiga de Bobby Callahan.

—Exactamente. Quería hablar con usted.

—Pues claro que sí. Pase, pase.

Se puso en pie y nos dimos la mano. Me señaló la silla que había al lado de la mesa y me senté.

—Podemos hablar en otro momento, si no le viene bien ahora —dije.

—De ningún modo. ¿Qué puedo hacer por usted? Glen me dijo que Bobby había contratado a alguien para investigar el accidente.

—Bobby está convencido de que quisieron matarle. Colisión y fuga. ¿Ha hablado con usted de este asunto en alguna ocasión?

El doctor Fraker negó con la cabeza.

—Hacía meses que no le veía; hasta el lunes por la noche. ¿Dice que quisieron matarle? ¿Qué opina la policía?

—Aún no lo sé. Me he hecho con una copia del informe del accidente y, que yo sepa, no hay mucho para hincar el diente. No hubo testigos y creo que no encontraron prácticamente nada en el lugar de los hechos.

—Un poco anormal, ¿no?

—Bueno, lo normal es que haya detalles susceptibles de investigación. Vidrios rotos, huellas de neumáticos, señales en el vehículo de la víctima. Puede que el agresor saliera de su coche, lo limpiara a conciencia, repasara la carrocería con pintura, cualquier cosa. Yo confío en la intuición de Bobby. El dice que estaba en peligro. Pero no recuerda por qué.

El doctor Fraker pareció meditar aquello unos instantes y se removió en el asiento.

—Pienso que también yo le creería. Es un chico brillante. También era un estudiante capacitado. Es lamentable que en la actualidad ya no se pueda decir lo mismo. ¿Qué es lo que ocurre, según él?

—No tiene ni la menor idea y, como él mismo ha dicho, en el instante en que recuerde estará más amenazado que ahora. Sospecha que siguen buscándole.

Se limpió las gafas con un pañuelo mientras recapacitaba. Al parecer era hombre acostumbrado a enfrentarse con enigmas, pero me dije que derivaría las soluciones de los síntomas, no de las circunstancias. Las enfermedades no necesitan motivos subyacentes, como los homicidios. Cabeceó con suavidad y me miró a los ojos.

—Es extraño. La verdad es que esta historia escapa un poco a mi competencia. —Se puso las gafas y adoptó una actitud profesional—. En fin, ya que no sabemos lo que pasa, tal vez sea mejor imaginárselo. ¿Qué quiere de mí en concreto?

Me encogí de hombros.

—Lo único que se me ocurre es volver al punto cero para averiguar en qué conflicto se encontraba Bobby. Estuvo trabajando con usted... ¿fueron dos meses?

—Más o menos. Creo que empezó en septiembre. Si quiere la fecha exacta, le diré a Marcy que lo mire.

—Supongo que se le contrató por la amistad que tiene usted con su madre.

—Pues sí y no. Por lo general disponemos de plazas para los estudiantes de medicina. Casualidad o no, Bobby daba la talla. Es verdad que Glen Callahan tiene mucha influencia en esta institución, pero si el chico hubiera sido un inepto no lo habríamos contratado. ¿Le apetece un café? Iba a encargarlo.

—Sí, gracias.

Se inclinó de lado y se dirigió a su secretaria, cuya mesa se veía desde la de mi interlocutor.

—¿Marcy? ¿Le importaría traernos café, por favor? —Y a mí—: ¿Con leche y azúcar?

—Me gusta solo.

—Los dos solos —dijo en voz alta.

No hubo respuesta, pero supuse que la operación estaba ya en marcha. Volvió a concentrarse en mí.

—Lamento la interrupción.

—No se preocupe. ¿Tenía Bobby mesa propia?

—Sí, en la entrada, pero se desalojó... espere, creo que

fue veinticuatro horas después del accidente. Todos pensamos que moriría y tuvimos que reemplazarlo en seguida. Este lugar casi siempre parece una casa de locos.

—¿Qué se hizo con sus cosas?

—Yo mismo las llevé a su casa. No era gran cosa, pero lo que encontré lo metí en una caja de cartón y se lo di a Derek. No sé qué haría con ella. Glen se pasaba en el hospital las veinticuatro horas del día.

—¿Se acuerda de lo que había?

—¿En su mesa? Cosas. Artículos de oficina.

Me dije que tenía que investigar aquella caja. Cabía la posibilidad de que aún estuviera en la mansión de la familia.

—¿Sabría decirme cómo era para Bobby una jornada de trabajo normal y qué cosas concretas hacía?

—Desde luego. En realidad repartía la jornada entre el laboratorio y el depósito del antiguo hospital de Frontage Road. Tengo que pasar hoy por allí, o sea que puede acompañarme, si quiere; o seguirme en su coche, si le resulta más cómodo.

—Creía que el depósito estaba aquí.

—Aquí tenemos uno de menores proporciones, junto a la sala de autopsias. Y allí tenemos otro.

—No sabía que hubiera más de uno.

—Tuvimos que ampliarlo por los encargos. El St. Terry también tiene allí unas cuantas oficinas.

—¿En serio? No sabía que el antiguo hospital provincial estuviera aún en funciones.

—Pues sí. Aún funciona una unidad privada de radiología y nosotros guardamos allí un montón de expedientes. A veces es un lío, pero no sé qué haríamos sin él.

Alzó los ojos cuando llegó Marcy con dos tazas y con la mirada fija en el líquido negro, que amenazaba con desbordarse. Era joven, castaña, sin maquillar. Parecía la persona idónea para coger la mano al jefe cuando los técnicos del laboratorio metían la pata.

—Gracias, Marcy. Déjelas en la mesa.

Marcy depositó las tazas y al salir me dirigió una sonrisa rápida.

Hablamos de la rutina oficinesca mientras nos tomábamos el café y luego me llevó a dar una vuelta por el laboratorio al tiempo que me explicaba las distintas responsabilidades que había tenido Bobby, todas normales al parecer y ninguna más importante que otra. Apunté el nombre de dos colegas del joven porque a lo mejor tenía que hablar con ellos en otro momento.

Aguardé mientras se ocupaba de un par de detalles, estampaba una firma y decía a Marcy dónde iba a estar.

Lo seguí con el coche hasta la autopista y nos encaminamos al antiguo hospital provincial. El complejo se veía desde la carretera, un laberinto sin fin con adornos de estuco amarilleante y unos tejados rojos que con el paso del tiempo casi se habían vuelto marrones. Lo dejamos atrás, tomamos la primera salida que encontramos, dimos la vuelta para entroncar con Frontage Road y giramos a la izquierda al llegar a la entrada principal.

El Hospital Provincial había sido antaño una institución en auge al servicio de toda la población de Santa Teresa. En un segundo orden de cosas también hacía las veces de ambulatorio de los pobres, gracias a la ayuda de distintas entidades administrativas. Su imagen, con el paso del tiempo, acabó por relacionarse con los humildes y desposeídos: beneficiarios del seguro de desempleo, extranjeros ilegales y la totalidad de las desdichadas víctimas de las grescas y delitos de los sábados por la noche. Los ricos y la clase media empezaron a ir a otros centros. Cuando MediCal y Medicare* iniciaron sus actividades, hasta los pobres prefirieron el St. Terry y otros hospitales privados de los alrededores; el Hospital Provincial se convirtió en una ciudad muerta.

Había coches diseminados por el parking. Gracias a los

* Medicare es un servicio de la administración estadounidense para los enfermos de la tercera edad *(N. del T.)*

rótulos provisionales de madera, en forma de flecha, el visitante sabía dónde estaban los Archivos, las dependencias de primeros auxilios, Radiología, el depósito de cadáveres y otros departamentos encargados de ramas abstrusas de la medicina.

El doctor Fraker aparcó el coche y yo hice lo propio en la plaza contigua. Bajó del coche, cerró con llave y esperó mientras yo le imitaba. Se hacía algún esfuerzo por mantener el equilibrio, pero el asfalto de la entrada estaba resquebrajado y por entre las grietas comenzaban a despuntar los matojos. Nos dirigimos a la entrada principal sin abrir apenas la boca. El doctor Fraker no parecía poner en duda la solidez del edificio, pero a mí me resultó un tanto inquietante. Su estilo arquitectónico, faltaría más, era el sempiterno colonial español: soportales anchos a lo largo de la fachada y ventanas de alféizar anchísimo, protegidas por rejas de hierro forjado.

Nos detuvimos en el inmenso vestíbulo nada más entrar. Se veía que a lo largo de los años se había hecho algo por «modernizar» el sitio. Había tubos fluorescentes empotrados en los altos techos, aunque daban una luz demasiado difusa para resultar satisfactoria. Las antesalas, antaño grandísimas, se habían compartimentado. Se habían instalado unos mostradores entre dos arcos, pero en recepción no había ni muebles ni personal para recibir a nadie. Hasta el aire olía a descuido y abandono. Al fondo del vestíbulo a la derecha se oía teclear una máquina de escribir, pero sonaba como un teclado de órgano antiguo en manos de un principiante. Era la única señal de que allí había vida.

Dimos una vuelta por el lugar. Según el doctor Fraker, Bobby iba y venía de un hospital a otro para recoger los expedientes archivados de los pacientes que volvían a ingresar después de varios años, y entregaba personalmente radiografías e informes de autopsias. Los gráficos que ya no eran de utilidad se archivaban automáticamente en el Hospital Provincial. Casi todos los datos, como es lógico, estaban ahora informatizados, pero aún quedaban montañas de papel que había que guardar en alguna parte. Por lo visto, Bobby también hacía horas extras en el hospital antiguo y se encargaba del turno de noche cuando los empleados del depósito de cadáveres estaban enfermos o de vacaciones. El doctor Fraker me indicó que en términos generales era como hacer de canguro, y que Bobby había acumulado una cantidad asombrosa de horas extras durante aquellos dos meses de trabajo.

Bajamos al sótano por una ancha escalera de baldosas rojas de estilo español y nuestros pasos resonaron en el vacío a ritmo desigual. Como el hospital se encuentra pegado a una colina, la parte de atrás está bajo tierra, mientras que el sector delantero da a una zona parcialmente cubierta de arbustos. El sótano estaba más oscuro, como si allí se hubiesen reducido los servicios por mor de economía. Hacía fresco y el aire olía a formol, el desodorante favorito de los muertos. Una flecha de la pared nos indicó dónde se hacían las autopsias. Me dispuse a defenderme de las imágenes que la imaginación empezaba a conjurar.

Abrió la puerta de cristal esmerilado. No vacilé en entrar ni una centésima de segundo, pero inmediatamente hice una inspección ocular para convencerme de que no interrumpíamos a nadie descuartizando un cadáver con un cuchillo de sierra. El doctor Fraker pareció darse cuenta de mi aprensión y me rozó el brazo.

—Hoy no hay ningún trabajo pendiente —dijo y avanzó delante de mí.

Esbocé una sonrisa de circunstancias y fui tras él. A primera vista, el lugar parecía vacío. Vi paredes de baldosas verde manzana, largos mostradores de acero inoxidable con muchos cajones. Era como esas cocinas supertecnificadas que se ven en las revistas de decoración, con su islote central de acero inoxidable, su ancho fregadero, sus altos grifos de cuello doblado, su báscula colgante y su escurridero. Noté que la boca se me curvaba en una mueca de asco. Sabía lo que se cocía allí y no era comida precisamente.

Se abrió la puerta batiente del fondo y entró de espaldas un joven en bata de cirujano, arrastrando una camilla. El cadáver venía envuelto en un plástico grueso y coloreado que impedía concretar su edad y su sexo. Del dedo grueso del pie le colgaba una etiqueta; le distinguí parte de la cabeza morena, parte de la cara envuelta en plástico igual que una momia. Me recordó por encima el aviso que se imprimía ahora en las bolsas de las lavanderías: «PRECAUCIÓN: manténgase este artículo alejado de los niños para evitar que se asfixien. Se recomienda no utilizarlo en cunas, camas y cochecitos infantiles. Esta bolsa no es un juguete». Aparté los ojos y tomé una profunda bocanada de aire sólo para demostrarme a mí misma que era capaz de hacerlo.

El doctor Fraker me presentó al enfermero, que se llamaba Kelly Borden. Tendría treinta y tantos años, era grueso y de complexión fofa, y tenía un pelo rizado y prematuramente canoso que se recogía en una trenza gruesa que le llegaba hasta media espalda. Llevaba barba, bigote, tenía ojos dulces y un reloj de pulsera capaz de funcionar incluso en el fondo del océano.

—Kinsey es detective, está investigando el accidente de Bobby Callahan —dijo el doctor Fraker.

Kelly asintió con expresión neutra. Condujo la camilla hasta lo que parecía una cámara frigorífica y la dejó junto a otra, también ocupada. Compañeros de cuarto, pensé.

El doctor Fraker se volvió para mirarme.

—Tengo cosas que hacer arriba. Puede preguntarle a Kelly todo lo que quiera. Trabajaba con Bobby. Si le cuenta algo interesante, comuníquemelo.

—Estupendo —dije.

[illegible]

[illegible] espacio [illegible]

[illegible]

[illegible]

[illegible]

[illegible]

[illegible]

[illegible]

[illegible]

[illegible]

10

Se fue el doctor Fraker y Kelly Borden cogió un pulverizador con desinfectante, roció los mostradores de acero inoxidable, cogió luego un trapo y los limpió a conciencia. Creo que en realidad no hacía falta que hiciera aquello, pero así tenía la mirada puesta en otra cosa. Era una forma educada de no prestarme atención y no hice objeción alguna. Me entretuve dando una vuelta por el lugar y mirando los armarios de portezuela de vidrio llenos de bisturíes, fórceps y serruchos de aspecto macabro.

—Pensé que habría más cadáveres —dije.

—Allí dentro.

Eché un vistazo a la puerta por la que había entrado él.

—¿Puedo mirar?

Se encogió de hombros.

Me acerqué y abrí la puerta, al lado de la cual había un termómetro que marcaba cuatro grados centígrados. La habitación, que tendría el tamaño de mi casa, estaba flanqueada por camastros de fibra vítrea, ordenados escalonadamente como si fueran literas desvencijadas. Había ocho cadáveres visibles, casi todos envueltos en un plástico amarillento a través del cual distinguía brazos, piernas y heridas que habían sangrado; la sangre y los fluidos corporales se condensaban en la superficie de la funda de plástico. Había dos cadáveres cubiertos por una sábana. En el camastro más próximo vi a una anciana desnuda, rígida como una estatua y un tanto deshidratada, al parecer. En mitad del tórax le habían practicado una tétrica incisión en forma de «y» que le habían cosido con puntos irregulares y torpes, como un pollo relleno y atado con cordeles. Los pechos le colgaban hacia los lados como si fueran globos hinchados con agua, y tenía tan poco pelo en el pubis como una niña. Tuve ganas de taparla, pero ¿para qué? Estaba más allá del frío, más allá del dolor, del recato, de la sexualidad. Le observé el pecho: no subía y bajaba, como hubiera sido de desear. La muerte comenzaba a antojárseme un juego de salón: ¿cuánto tiempo aguantas sin respirar? Advertí que respiraba hondo otra vez: no me gustaba aquel juego. Cerré la puerta y volví a la calidez de la sala de autopsias.

—¿Cuántos caben?

—Cincuenta tal vez, en caso de emergencia. Yo nunca he visto más de ocho o nueve.

—Creí que iban directamente a la funeraria.

—Sólo si han fallecido de muerte natural. Del resto nos hacemos cargo nosotros. Asesinados, suicidas, accidentados, todos los que mueren de forma sospechosa o anormal. Se practica la autopsia a casi todos y al cabo de un tiempo relativamente breve se envían a la funeraria. Hay algunos indigentes entre los diez que tenemos ahora. Hay un par de individuos sin nombre a los que esperamos identificar. A veces se prolongan los trámites del entierro y guardamos el cadáver. Hay dos que llevan aquí un montón de años. Franklin y Eleanor.* Son prácticamente nuestras mascotas.

Me crucé de brazos porque empezaba a sentir escalofríos y cambié de conversación porque prefería hablar de los vivos.

—¿Conoces bien a Bobby? —pregunté. Me apoyé en la pared y me puse a mirarle mientras se dedicaba a sacar brillo a los grifos del fregadero de acero inoxidable.

—Apenas le conozco. Trabajábamos en turnos diferentes.

—¿Cuánto hace que trabajas aquí?

* Por el presidente norteamericano Franklin D. Roosevelt y su mujer, que se llamaba Eleanor *(N. del T.)*

—Cinco años.

—¿Y qué más haces?

Hizo una pausa para mirarme. Por lo visto no le gustaban las preguntas personales, pero era demasiado educado para decirlo.

—Soy músico. Toco la guitarra en un grupo de jazz.

Le miré con fijeza durante un minuto sin atreverme a preguntárselo.

—¿Has oído hablar de Daniel Wade?

—Claro. Era pianista de jazz, de Santa Teresa. Todo el mundo sabe quién es. Aunque hace años que no se le ve por la ciudad. ¿Amigo tuyo?

Me aparté de la pared; era mi turno.

—Era mi marido.

—¿Estuviste casada con él?

—Exacto. —Observé unos frascos de vidrio con órganos humanos en adobo. Me pregunté si habría algún corazón en escabeche en aquella sustanciosa ensalada natural de hígados, riñones y bazos.

Kelly volvió a enfrascarse en lo suyo.

—Un músico genial —observó en un tono a la vez de prudencia y de respeto.

—Lo sigue siendo —dije, sonriéndome ante lo irónico de la situación. Nunca había hablado de ello y se me hacía raro contárselo a un enfermero del depósito con bata de cirujano, en una sala de autopsias.

—¿Y qué le pasó? —preguntó Kelly.

—Nada. Lo último que supe de él es que estaba en Nueva York. Seguía tocando y drogándose.

Cabeceó.

—Joder, con el talento que tiene. No lo conocía personalmente, pero iba a verle tocar siempre que podía. No lo comprendo, habría podido llegar adonde hubiera querido.

—El mundo está lleno de genios.

—Sí, pero él es mejor que la mayoría. Al menos por lo que yo sé.

—Lo malo es que yo no era tan genial como él. Me habría ahorrado muchos sinsabores —dije. En realidad, aquel matrimonio, aunque sólo había durado unos meses, había representado la mejor época de mi vida. Daniel tenía cara de ángel en aquella época... ojos azul cielo bajo una nube de rizos de oro. Siempre me recordaba a un santo católico que había pintado no sé qué artista: delgado, guapo, aspecto de asceta, manos elegantes y aire de humildad. Emanaba inocencia. Sólo que no podía serme fiel, no podía apartarse de las drogas, no podía quedarse en un solo sitio. Era salvaje, divertido y corrupto; si reapareciera... no me atrevo a jurar que le diría que no, me pidiera lo que me pidiese.

Había dejado languidecer la conversación; fue Kelly quien la reanudó, instado por el silencio.

—¿Qué hace Bobby ahora?

Volví a fijarme en él. Se había encaramado en un taburete alto de madera; el trapo y el desinfectante estaban en el mostrador, a su izquierda.

—Sigue reorganizando su vida —dije—. Hace ejercicios diariamente. Pero no sé qué hace el resto del tiempo. Supongo que no sabrás nada de lo que le pasaba entonces, ¿verdad?

—¿Qué importancia puede tener a estas alturas?

—El dice que estaba en peligro, pero ha perdido la memoria. Hasta que yo llene los agujeros, probablemente seguirá teniendo problemas.

—¿Por qué?

—Si alguien quiso matarle, puede intentarlo otra vez.

—¿Y por qué no lo han hecho ya?

—Lo ignoro. Puede que el responsable se sienta seguro.

—Suena a rebuscado —dijo con los ojos fijos en mí.

—¿Te hizo confidencias alguna vez?

Se encogió de hombros; su actitud volvía a ser un tanto reservada.

—Sólo coincidimos laboralmente en un par de ocasiones. Cuando entró a trabajar aquí yo estaba de vacaciones; al volver, yo tenía el turno de día y él tenía el de noche.

—¿Cabe la posibilidad de que se dejara por aquí un cuaderno de direcciones, de piel encarnada, pequeño?

—Lo dudo. Aquí ni siquiera hay taquillas para guardar las cosas.

Saqué una tarjeta de la billetera.

—Llámame si se te ocurre algo. Me gustaría saber qué pasaba en aquel entonces y sé que Bobby agradecería muchísimo cualquier gesto amistoso.

—Claro.

Fui en busca del doctor Fraker; miré en Medicina Nuclear, en las oficinas de las enfermeras, en los despachos de la unidad de radiología, todo ello en el sótano. Lo encontré cuando se disponía a bajar otra vez.

—¿Ya ha terminado? —dijo.

—Sí, ¿y usted?

—Entro de guardia a mediodía, pero si quiere charlar un rato, buscaremos un despacho vacío.

Negué con la cabeza.

—Por ahora no tengo más preguntas que hacerle. Pero me gustaría hablar con usted más adelante.

—Estoy a su disposición. No tiene más que darme un telefonazo.

—Gracias. Lo haré.

Estuve un rato en el coche, sin moverme del parking, tomando notas en las fichas de cartulina tamaño 12 × 7 que guardo en la guantera: el día, la hora y el nombre de las dos personas con quienes había hablado. El doctor Fraker era una buena fuente de información, aunque la entrevista no había dado mucho de sí. Kelly Borden tampoco me había sido de mucha ayuda, pero al menos había tanteado la posibilidad. Los resultados negativos son a veces tan importantes como los positivos, dado que son callejuelas sin salida que, mientras se avanza a ciegas hacia el centro del laberinto, permiten reducir el radio de acción. En el presente caso no sabía dónde estaba dicho centro ni qué habría en él. Consulté la hora. Eran las doce menos cuarto y pensé en comer. Me cuesta comer a su hora. O no tengo hambre cuando toca, o la tengo cuando no puedo detenerme para comer. Sin yo quererlo se me ha convertido en una táctica para adelgazar, aunque no creo que le siente bien a mi salud. Arranqué y puse rumbo a la ciudad.

Volví al restaurante naturista donde había comido el lunes con Bobby. Tenía muchas ganas de verle, pero en el local no había el menor rastro de él. Pedí una ensalada polivitamínica, de esas que satisfacen al cien por ciento las necesidades nutritivas de toda una existencia. La camarera me trajo una bandeja llena de semillas y hierbajos coronados por una salsa rosa con pintas, muy sabrosa. No estaba ni la mitad de rica que una super hamburguesa con queso fundido, pero me sentí pura al saberme con toda aquella clorofila corriéndome por las venas.

Al volver al coche, me miré los dientes en el espejo retrovisor, no fuera que los tuviese manchados con brotes de alfalfa germinada. Si voy a entrevistar a una persona, no quiero tener aspecto de haber estado pastando en un prado. Busqué en el cuaderno de notas la dirección de los padres de Rick Bergen y cogí un plano de la ciudad. No sabía dónde estaba Turquesa Road. Al final la localicé; era una calle del tamaño de uno de esos pelos que crecen hacia dentro, una travesía de otra calle no menos desconocida y que discurría cerca de las estribaciones montañosas que parapetan el barrio más interior de la ciudad.

La casa era maciza y sencillota, toda a base de líneas verticales, y tenía un camino de entrada tan empinado que renuncié a utilizarlo y dejé el coche pegado a la escarchada que crecía al pie del mismo. Un muro liso de piedra artificial protegía la calle de los derrumbes montañosos y a causa de su figura en zigzag parecía una yuxtaposición de barricadas. Al llegar al porche me volví para admirar el espectáculo, una vista panorámica de toda Santa Teresa con el mar al fondo. En el cielo, a mi derecha, un ala delta trazaba círculos amplios y desiguales mientras descendía planeando hacia la playa. El día era soleado y en lo alto no había más que unos jirones núbeos, semejantes a la espuma, que comenzaban a desintegrarse. El silencio era sepulcral. No había tráfico y no parecía haber vecinos en los alrededores. Distinguí un par de tejados, pero me dominaba la sensación de que todo estaba desierto. La vegetación, que era escasa, se componía sobre todo de plantas resistentes a la sequía: espinos, wistarias y cactáceas.

Llamé al timbre. El hombre que acudió a abrirme era bajo, nervioso, sin afeitar.

—¿El señor Bergen?

—Yo mismo.

Le tendí mi tarjeta.

—Soy Kinsey Millhone. Bobby Callahan me ha contratado para que investigue el accidente de...

—¿Qué? ¿Qué? ¿Qué?

Le miré a los ojos. Los tenía pequeños y azules, bordeados de rojo. Sus mejillas eran hirsutas, con un rastrojo de dos días que le daba aspecto de higo chumbo. Tendría cincuenta y tantos años y olía a cerveza y sudor. Llevaba el pelo raleante peinado hacia atrás. Vestía unos pantalones que parecían salidos de un paquete de ropa del Ejército de Salvación y una camiseta con un rótulo estampado que decía: «La vida es un palo, muérete». Tenía los brazos fofos e informes, aunque la barriga le sobresalía como una pelota de baloncesto hinchada a más no poder. Quise replicarle con la misma rudeza, pero me mordí la lengua. Había perdido a su hijo. No tenía por qué ser educado.

—Bobby cree que el accidente fue un atentado criminal —dije.

—Chorradas. Señora, no quisiera ser grosero con usted, pero permítame decirle una cosa. Bobby Callahan es un niñato rico. Mimado, irresponsable y caprichoso. Se emborrachó como un cabrón, se salió de la carretera y mató a mi hijo, que por cierto era su mejor amigo. Cualquier otra cosa que le cuenten es caca de vaca.

—Yo no estoy tan segura —dije.

—Pues yo sí y le estoy diciendo la verdad. Compruebe los informes de la policía. Todo consta en ellos. ¿Los ha leído?

—El abogado de Bobby me envió ayer una copia —dije.

—¿Verdad que no hay pruebas materiales? Bobby le ha dicho que alguien le obligó a salirse de la carretera y usted se lo ha creído, pero no tiene nada que apoye su versión, o sea que para mí es pura filfa.

—Tengo entendido que la policía le cree.

—¿Y qué pasa? ¿Es que no se puede sobornar a la policía? ¿Cree que no se la puede convencer con unos billetes?

—En esta ciudad, no —dije. Aquel individuo me había puesto a la defensiva y no me gustaba nada el papel que estaba jugando.

—¿Quién lo dice?

—Señor Bergen, conozco a los policías de aquí. He trabajado con ellos... —No parecía un argumento muy sólido, pero era la verdad.

—¡Y una leche! —dijo interrumpiéndome, al tiempo que giraba la cabeza con fastidio y actitud de repulsa—. No tengo tiempo para escucharle. A lo mejor tiene más suerte con mi mujer.

—Yo preferiría hablar con usted —dije. Aquello pareció sorprenderle, como si nadie lo hubiese buscado nunca como interlocutor.

—Olvídelo. Ricky está muerto. Todo ha acabado ya.

—¿Y si no es así? ¿Y si Bobby dice la verdad y no fue culpa suya?

—¿Y a mí qué me importa? No quiero saber nada relacionado con él.

A punto estuve de replicarle, pero, guiada por el instinto, volví a contener la lengua. No quería enzarzarme en una discusión sin fin que sólo serviría para echar más leña al fuego. Aquel hombre estaba muy alterado, pero pensé que su agitación tendría altibajos.

no ni de los posteriores que habían acabado por
con el colonial español.
de Phil Bergen, según me contó él mismo, había
de construirse en 1950. El y Reva acababan de
uando estalló la guerra de Corea. Llamaron a
do y lo enviaron al frente dos días después, de-
Reva con las cajas de la mudanza aún sin abrir;
bo de catorce meses por incapacidad. No me
a esta incapacidad ni yo se lo pregunté, pero
sólo trabajaba de tarde en tarde desde que lo
nciado por motivos médicos. Habían tenido
Rick había sido el menor. Los demás se encon-
erdigados por el suroeste.
era? —pregunté. No estaba muy segura de que
contestar. El silencio se prolongó y me pregun-
bría sido una pregunta indiscreta. Me fastidió
clima de camaradería que se había creado entre

cómo responderle —dijo cabeceando—. Era uno
os con los que se sabe que no va a haber pro-
a. Siempre alegre, siempre dispuesto a hacer las
de que se las mandasen, buenas notas en la es-
l acabar el bachillerato pareció descentrarse un
dieciséis años entonces, terminó bien los estu-
o sabía qué camino seguir en la vida. Se sentía
bría podido ingresar en la universidad, Dios sabe
ría encontrado el dinero donde fuese, pero no
n interés. Por nada. Trabajar, trabajaba, pero
a.
ba drogas?
ue no. Y si lo hizo, yo no me enteré. Bebía
sí. Reva pensaba que se debía a eso, pero no
. Se iba por ahí, trasnochaba hasta las tantas,
los fines de semana y frecuentaba a chicos
y Callahan, que socialmente estaban por enci-
ros. Luego empezó a salir con Kitty, la herma-

—¿No me concedería diez minutos?

Meditó un instante y accedió con cara de enfado.

—Está bien, hostia, pase. Estaba comiendo. Además, Reva no está.

Se alejó de la puerta, que tuve que cerrar yo, y lo seguí por la casa, que estaba alfombrada con una moqueta de color gris sucio y olía a cerrado. Las persianas se habían bajado para que no entrara el sol de la tarde y la luz del interior era de un tono ambarino. Los muebles me parecieron un tanto desproporcionados, las dos tumbonas gemelas y cubiertas con un plástico verde y el sofá de módulos, en uno de cuyos extremos había un perrazo negro encima de una manta de lana a cuadros.

La cocina consistía en un suelo cubierto de linóleo de treinta años de antigüedad y una serie de armaritos pintados de rosa subido. Los electrodomésticos parecían sacados de un número antiguo de *La mujer y el hogar.* Había un recodo para el desayuno, en una sección del banco se veía un montón de periódicos, y en el centro de la estrecha mesa de madera había un islote permanente compuesto por el azucarero, un servilletero de papel, frasquitos en forma de pato para la sal y la pimienta, un tarro de mostaza, una botella de *ketchup* y un frasco de Salsa Superior. Vi los ingredientes de la comida que se había preparado el señor Bergen: queso envasado en lonchas y un plato fuerte a base de aceitunas y pedazos asquerosos de hocico de animal.

Se sentó y me indicó con un gesto que hiciera lo mismo frente a él. Aparté los periódicos y tomé asiento en el banco. Se había puesto a untar con Miracle Whip una rebanada de ese pan blanco y blanduzco que se puede estrujar como una esponja. Me dediqué a mirar hacia otro sitio, como si él estuviera enfrascado en alguna ceremonia pornográfica. Puso una rodaja de cebolla en el pan, peló el envoltorio de plástico de una loncha de queso y le añadió lechuga, pepinillos en vinagre, mostaza y morro. Se acordó de invitarme con algún retraso.

—¿Tiene hambre?

—Me muero de hambre —dije. Había comido hacía apenas media hora, pero no tenía la culpa de sentir hambre otra vez. A mí me parecía que el bocadillo chorreaba conservantes, pero tal vez fuese aquello lo que necesitaba para no caer enferma. Cortó el artístico bocata en diagonal, me dio la mitad y preparó otro, más cargado, que partió en dos pedazos igualmente. Le observé con paciencia, como un perro adiestrado, hasta que me autorizó a comer con un gesto.

Guardamos silencio durante tres minutos, mientras devorábamos la comida. Abrió dos cervezas, una para mí y otra para él. No me gusta Miracle Whip, pero en aquellas circunstancias me pareció una salsa de lo más exquisito. El pan era tan blando que los dedos dejaban huellas profundas en la superficie.

Entre un bocado y otro me limpiaba las comisuras de la boca con una servilleta de papel.

—¿Cuál es su nombre de pila? —dije.

—Phil. ¿Y qué clase de nombre es Kinsey?

—Era el apellido de soltera de mi madre.

No hubo más escopeteo hasta que apartamos el plato respectivo con un suspiro de alivio.

Salimos a la terraza y
tálicas manchadas de herr
el techo de hormigón de
perforando la montaña. S
barandilla, había una serie
tas anuales. Se había leva
el denso manto del sol qu
vidad de Phil había desa
apaciguado los incontabl
ba de ingerir, pero mucho
vezas que se había zampa
puro que acababa de deca
llo. Cogió una cerilla en
tenía junto a la silla y se
en el suelo. Chupó del p
la cerilla sacudiéndola y l
Estuvimos un rato miran

La vista que tenía ant
un teatro. Las islas del e
metros de distancia, tení
Las playitas de la costa ap
puñados de puntilla blan
gos con plumas en la lej
los juzgados, el instituto
católica de grandes dime
comercial del centro que
donde me encontraba no

tilo victoria
combinarse

La casa
terminado
comprarla
filas al mar
jando sola
volvió al c
dijo cuál e
parece que
habían lice
cinco hijos,
traban desp

—¿Cóm
me fuera a
té si no lla
estropear el
nosotros.

—No sé
de esos chi
blemas nun
cosas antes
cuela. Pero
poco. Tenía
dios, pero n
perdido. Ha
que yo hab
tenía ningú
no le cundí

—¿Toma

—Creo
mucho, eso
estoy segur
pasaba fuer
como Bobb
ma de noso

nastra de Bobby. Joder, esa cría ha sido un problema desde el día que nació. Yo ya estaba harto de aguantar a Rick. Si no quería ser de la familia, de acuerdo. Pero que se fuera a otra parte y se ganara la vida. Que no pensase que esta casa era su restaurante particular y su lavandería privada. —Se interrumpió para mirarme—. ¿Cree usted que me equivocaba, que obraba mal?

—No lo sé —dije—. No hay respuesta para una pregunta así. Los jóvenes se descarrían y luego se enderezan. La mitad de las veces no tiene nada que ver con los padres. Nadie conoce la causa.

Guardó silencio mientras contemplaba el horizonte y ceñía el puro con los labios igual que el empalme de una manguera. Aspiró una ración de nicotina y exhaló una nube de humo.

—A veces dudo de que fuera tan listo. Tal vez debió de ir a un psiquiatra, pero ¿qué sabía yo? Eso es lo que Reva dice ahora. Pero ¿qué iba a hacer un psiquiatra con un muchacho sin ambiciones?

Como no sabía qué responderle, me limité a emitir unos murmullos de comprensión y lo dejé correr.

Unos momentos de silencio. Luego dijo:

—Me han dicho que Bobby está muy mal.

Lo dijo sin convicción, como una pregunta preventiva acerca de un rival que se odia. Sin duda había deseado la muerte de Bobby un centenar de veces y maldecido otras tantas la buena estrella que le había salvado.

—Creo que si pudiera se cambiaría por Rick —dije, manifestando lo que pensaba. No quería que volviera a enfadarse, pero tampoco que se aferrase a la idea de que Bobby había tenido «más suerte» que Rick. Bobby estaba haciendo esfuerzos sobrehumanos por recuperar el sentido de las cosas, pero por lo menos se esforzaba.

A nuestros pies apareció traqueteando un Ford antiguo de color azul celeste, vomitando humo por el tubo de escape. Dio una amplia vuelta alrededor de mi vehículo y se detuvo, según parece para que la persona que conducía abriera automáticamente la puerta del garaje. El coche se perdió de vista a nuestros pies y, segundos más tarde, oí el ruido amortiguado de un portazo.

—Es mi mujer —dijo Phil al tiempo que se oía abajo el mecanismo de la puerta del garaje.

Reva Bergen apareció por el sendero empinado, cargada con bolsas de comestibles. Advertí con no poca sorpresa que Phil no hacía nada por ayudarla. La mujer nos vio al llegar al porche. Titubeó sin que en la cara se le manifestara la menor expresión. Incluso de lejos se le notaba un punto de desenfoque en la mirada que se me antojó más pronunciado cuando apareció por fin por la puerta trasera para reunirse con nosotros. Tenía el pelo de un rubio sucio, de agua con lejía, y ese aspecto refregado que suelen adquirir algunas cincuentonas. Ojos pequeños, casi sin pestañas. Cejas claras, piel clara. Era frágil y huesuda, y de las delicadas muñecas le brotaban unas manos tan bastas que parecían manoplas de jardinero. Eran tan dispares aquellas dos personas que deseché en el acto la involuntaria imagen del lecho conyugal. Phil le dijo quién era yo y aclaró que estaba investigando el accidente en que Rick había perdido la vida.

Sonrió con desprecio.

—¿A Bobby le remuerde la conciencia?

Phil intervino sin darme tiempo para responderle como se merecía.

—Vamos, Reva. ¿Qué mal puede hacernos? Tú misma dijiste que la policía...

Ella se volvió con brusquedad y entró en la casa. Phil hundió las manos en los bolsillos con aire avergonzado.

—Mierda. Está así desde el accidente. Aquello la trastornó. Vivir conmigo no ha sido precisamente un placer, pero está destrozada por dentro.

—Debería irme ya —dije—. Pero me gustaría pedirle algo. Estoy tratando de averiguar qué sucedía en aquel entonces y hasta ahora no he tenido suerte. ¿Le dijo o insinuó Rick de alguna manera que Bobby estaba en algún apuro? ¿O si él mismo tenía algún problema, de la clase que fuese?

Negó con la cabeza.

—Rick fue un problema para mí durante toda la vida, pero no tenía nada que ver con el accidente. De todos modos le preguntaré a Reva, por si sabe algo.

—Gracias —dije. Nos estrechamos la mano y le di mi tarjeta para que supiera dónde localizarme.

Me acompañó abajo y volví a darle las gracias por la comida. Miré hacia arriba al entrar en mi coche. Reva nos observaba desde el porche.

Volví a la ciudad. Pasé por el despacho para ver qué había en el contestador automático (no había nada) y en el correo (sólo publicidad). Preparé la cafetera de filtro, cogí la máquina de escribir portátil y anoté los datos obtenidos hasta el momento. Fue una tarea más bien ridícula, dado que no me había enterado prácticamente de nada. Pero Bobby tenía derecho a saber cómo había invertido el tiempo y cómo me gastaba los treinta dólares la hora que cobraba.

Cerré la oficina a las tres y fui andando a la biblioteca municipal, que estaba a cuatro calles de distancia. Bajé al sótano, donde está la sala de periódicos y revistas y pedí los diarios de septiembre, archivados ya en microfilm. Busqué un aparato libre, tomé asiento y metí el primer rollo. La cinta era en blanco y negro y todas las fotos parecían negativos. Como no sabía qué buscaba, leía todo lo que decía en cada página. Sucesos cotidianos, noticias de interés nacional, asuntos políticos locales, incendios, delitos, golpes de Estado, personas que nacían, morían y se divorciaban. Leí la sección de objetos perdidos y encontrados, los anuncios por palabras, los ecos de sociedad, las páginas deportivas. El mecanismo de avance estaba algo estropeado y los fotogramas saltaban a la pantalla de 20 × 30 con un ligero desenfoque que me mareaba. Los demás usuarios del centro hojeaban revistas o, acomodados en asientos bajos, leían periódicos sujetos a varillas verticales de madera. Los únicos ruidos que se oían eran el zumbido de mi aparato, alguna tos ocasional y el rumor de las hojas de los periódicos.

Conseguí leer los periódicos de la primera semana de septiembre antes de que me flaqueara la voluntad. Estaba claro que tendría que hacer aquello por etapas. El cuello se me había agarrotado y la cabeza empezaba a dolerme. Tomé nota de la última fecha consultada y salí a la luz del atardecer. Volví al edificio donde está mi oficina y cogí el coche.

Camino de casa me detuve en el supermercado para comprar leche, pan y papel higiénico. La música ambiental era de un lírico tan subido que me sentí la heroína de una novela romántica. Tras recorrer el establecimiento con el carrito de la compra y coger los artículos que necesitaba y que no llegaban a una docena, fui a la caja. Eramos cinco personas en la cola y todas mirábamos de reojo el contenido de los carritos de los demás. El hombre que iba delante de mí tenía la cabeza demasiado pequeña para la cara que le habían pintado en ella y me hizo pensar en un globo deshinchado. Iba con una niña de unos cuatro años que lucía un vestido nuevo que le quedaba grande. No sé por qué, parecía ostentar un rótulo que decía: «pobre». La verdad es que con aquel vestido tenía aspecto de enana; la cinturilla le colgaba hasta las caderas y el dobladillo casi le rozaba los zapatos. Cogía la mano del hombre con una confianza absoluta y me dirigió una sonrisa tímida tan llena de dignidad que no pude por menos que devolvérsela.

Cuando llegué a casa estaba rendida y me dolía el brazo izquierdo. Hay días que ni me acuerdo de la herida, pero otros me entra un dolor sordo que no para nunca y que me deja destrozada. Decidí saltarme la sesión de *footing*. Que le dieran por saco. Me tomé un par de Tylenoles con codeína, me quité los zapatos y me introduje entre los pliegues del edredón. Aún estaba allí cuando sonó el teléfono.

Desperté sobresaltada y automáticamente alargué la mano hacia el auricular. La casa estaba a oscuras. El imprevisto timbrazo me había provocado una descarga de adrenalina y el corazón me iba a cien por hora. Miré el reloj con intranquilidad. Las once y cuarto. Dije «sí» con voz pastosa y me pasé la mano por la cara y el pelo.

—Kinsey, soy Derek Wenner. ¿Se ha enterado ya?

—Derek, me muero de sueño.

—Bobby ha muerto.

—¿Qué?

—Parece que iba borracho, pero aún no nos han confirmado nada. Se le fue el coche y chocó contra un árbol en West Glen. Pensé que le interesaría saberlo.

—¿Qué? —Me di cuenta de que me repetía, pero no sabía de qué me hablaba.

—Bobby ha muerto en un accidente de tráfico.

—¿Cuándo? —No sé por qué lo pregunté. Supongo que porque no podía asimilar la información de otro modo.

—Poco después de las diez. Ya era cadáver cuando lo llevaron al St. Terry. Tengo que ir a identificarle, aunque parece que no hay ninguna duda.

—¿Puedo hacer algo?

Pareció titubear.

—Bueno, tal vez. He estado llamando a Sufi, pero al parecer no está en casa. Al doctor Metcalf lo está buscando su mayordomo, o sea que no tardará en aparecer. ¿Le importaría quedarse con Glen mientras yo voy al hospital para ver cómo están las cosas?

—Estaré ahí en seguida —dije y colgué.

Me lavé la cara y me cepillé los dientes. Estuve hablando conmigo misma todo el rato, pero sin sentir nada en absoluto. Todas mis operaciones internas parecieron interrumpirse cuando quise almacenar en el cerebro la información recibida. Los datos no hacía más que rebotar. No había manera de introducirlos. No, imposible. ¿Bobby muerto? No era verdad.

Cogí una cazadora, el bolso y las llaves. Cerré la puerta, entré en el coche, puse el motor en marcha y arranqué. Me sentía como un autómata totalmente programado. Al entrar en West Glen vi los vehículos de los servicios de urgencia y sentí un escalofrío en la base de la columna. Había sido en la mayor de las curvas, en un recodo de escasa visibilidad que hay junto a las «chabolas». La ambulancia ya se había ido, pero los coches de la policía seguían en el lugar y el graznido de las radios rasgaba el aire de la noche. Los mirones se habían agrupado en la acera y contemplaban desde la oscuridad el árbol contra el que había chocado Bobby; bañado por la potente luz de faros y focos, también él parecía herido de muerte a causa de la hendidura que se le había abierto en el tronco. La grúa se llevaba en aquellos instantes el BMW de Bobby. Parecía el rodaje de una película en exteriores. Reduje la velocidad y observé el lugar de los hechos con una sensación irreal de indiferencia. No quería aumentar la confusión y como además estaba preocupada por Glen, seguí adelante. «Bobby ha muerto», murmuró una vocecita. Y otra vez: «No vuelvas a repetirlo. Porque no es verdad, ¿me oyes?».

Entré en el angosto camino de acceso y fui por él hasta llegar al jardín, que estaba vacío. Todas las luces de la casa estaban encendidas, como si se celebrase una fiesta por todo lo alto; pero todo estaba en silencio, no se veía un alma y no había coches por los alrededores. Aparqué y me dirigí hacia la puerta. Me abrió una de las doncellas antes de pulsar el timbre, tal como hacen las células de detección electrónica. Se hizo a un lado y me dejó pasar sin decir nada.

—¿Dónde está la señora Callahan?

Cerró la puerta y echó a andar por el vestíbulo. Fui tras ella. Llamó a la puerta del estudio de Glen, giró el tirador y volvió a hacerse a un lado para dejarme pasar.

Glen se había puesto una bata de color rosa claro y estaba sentada en uno de los sillones de respaldo hondo con las piernas encogidas. Alzó la cara y vi que la tenía hinchada y húmeda. Era como si todos los conductos emocionales se le hubieran reventado, los ojos le lagrimeaban, tenía las mejillas anegadas en llanto y la nariz le goteaba. Hasta el pelo tenía mojado. Me quedé inmóvil durante unos momentos, sin poder creerlo todavía, mirándola con fijeza; me miró, agachó la cabeza y me alargó la mano. Me acerqué a ella y me puse de rodillas. Le cogí la mano —pequeña y fría— y me la llevé a la mejilla.

—Glen, lo siento, lo siento mucho —murmuré.

Asintió y emitió un sonido grave que no se atrevió a convertirse en grito. Se trataba de una exclamación más primitiva aún. Fue a hablar, pero sólo pudo murmurar una frase atropellada en lenguaje deficiente y desprovista de sentido. ¿Tenía alguna importancia lo que dijera? Lo peor había ocurrido y nada podía hacerse ya. Se echó a llorar como hacen los niños, con sollozos profundos y espasmódicos que no parecían tener fin. Le apreté la mano para que tuviese una amarra en aquel turbulento mar de aflicción.

Advertí al cabo de un rato que le remitía la agitación como una nube de verano que sigue su curso tras descargar su violencia. Los espasmos empezaron a desaparecerle. Se soltó de mi mano y se echó atrás al tiempo que aspiraba una profunda bocanada de aire. Cogió un pañuelo, se lo llevó a los ojos, se sonó la nariz. Se interrumpió y quedó como ensimismada, tal como suele hacerse cuando finaliza un ataque de hipo. Suspiró.

—¡No puedo soportarlo! —exclamó y las lágrimas volvieron a despuntarle y a correrle por las mejillas. Se dominó al instante y repitió las operaciones de secado y limpieza—. Mierda —dijo cabeceando—. ¡No puedo con esto, Kinsey! ¿Lo comprende? Es demasiado duro y yo no soy tan fuerte.

—¿Quiere que llame a alguien?

—No, es muy tarde. Además, ¿para qué? Diré a Derek que llame a Sufi por la mañana. Ya vendrá ella.

—¿Y Kleinert? ¿Quiere que le avise?

Negó con la cabeza.

—Déjelo estar, Bobby no podía aguantarlo. No tardará en enterarse, de todos modos. ¿Ha vuelto Derek? —Había ansiedad en su voz, tensión en sus facciones.

—Creo que no. ¿Le apetece una copa?

—No, pero sírvase usted lo que quiera. La bebida está ahí.

—Más tarde, si acaso. —Me apetecía algo, pero no sabía exactamente qué. Una copa no. Temía que el alcohol me consumiera la delgada corteza del autodominio. Habría sido el colmo. Lo que le faltaba a Glen, cambiar los papeles y ponerse a consolarme. Me senté en el sillón de enfrente y una imagen me chisporroteó en la cabeza. Me acordé de Bobby en el momento de despedirse de su madre hacía apenas un par de noches. Se había vuelto de manera mecánica para presentar a su madre la mejilla buena. Había sido su penúltima noche entre los vivos, su penúltimo sueño, pero nadie se había dado cuenta, ni yo tampoco. Alcé los ojos y comprobé que me miraba como si supiera lo que estaba pensando. Aparté la mirada, aunque no con rapidez suficiente. Su rostro emitió una radiación que me inundó igual que la luz cuando se filtra por sorpresa por una puerta de batiente. La tristeza se coló por la ranura, me cogió desprevenida y rompí a llorar.

12

Que todo tenga un motivo no quiere decir que siempre haya una finalidad. Los días que siguieron fueron una pesadilla, tanto más cuanto mi papel sólo fue periférico en el espectáculo de que se rodeó la muerte de Bobby. Como me había presentado durante sus primeras reacciones de pesar, Glen Callahan pareció elegirme como si pudiera consolarla y distraerla del dolor que sentía.

El doctor Kleinert excarceló a Kitty para que asistiera al entierro y se intentó localizar en el extranjero al padre de Bobby, pero no contestó y a nadie pareció preocuparle. Cientos de personas desfilaron en el ínterin por la capilla ardiente: amigos de Bobby, antiguos compañeros de estudios, amigos de la familia, colaboradores y asociados profesionales de la familia, todas las autoridades de la ciudad, miembros de los distintos comités directivos en que figuraba Glen. El Quién es Quién de Santa Teresa. Después de la primera noche de tormenta, Glen estuvo al cien por ciento en su papel: serena, mundana, lista para cumplimentar todos los detalles del entierro. Todo como Dios manda. Todo con un gusto exquisito. Y yo allí, para lo que quisieran encargarme.

Había creído que Derek y Kitty se resentirían de mi continua presencia, pero por lo visto sirvió para tranquilizar a ambos. La resolución y voluntad de Glen tuvo que abrumarles, sin duda.

Glen ordenó que se cerrase el ataúd de Bobby, aunque en la funeraria lo vi un instante cuando terminaron de «prepararlo». En cierto modo tenía necesidad de verle para convencerme de que estaba muerto de verdad. Dios mío, qué inmovilidad la de la carne cuando la vida ha desaparecido. Glen estuvo a mi lado con la mirada fija en las facciones de Bobby, con una cara tan impávida y exánime como la de su hijo. Algo se le había ido con la muerte de éste. Se mostraba impasible, pero me clavó los dedos en el brazo cuando se cerró la tapa del féretro.

—Adiós, pequeño mío —murmuró—. Te quiero.

Me aparté sin poder contenerme.

Derek se le acercó por detrás y vi que hacía ademán de acariciarle. Glen no se volvió, pero de su cuerpo brotó una rabia tan ilimitada que el marido se mantuvo a cierta distancia, intimidado por la fuerza de aquel sentimiento. Kitty se quedó apoyada en la pared del fondo, atónita y como ausente y con la cara hinchada a causa del llanto derramado a solas. Me pasó por la cabeza que ni ella ni su padre permanecerían mucho tiempo en la vida de Glen. La muerte de Bobby había acelerado el derrumbe de la familia. Glen parecía impaciente por estar sola, intransigente ante los requisitos del trato normal. Eran sanguijuelas y ella se había quedado sin sangre. Apenas la conocía, pero me di cuenta de que su conducta había cambiado brusca y radicalmente de principios. Derek la observó inquieto, intuyendo tal vez que ya no jugaba ningún papel en el nuevo planteamiento, fuera éste cual fuese.

Lo enterraron el sábado. La misa de difuntos duró poco, por suerte. Glen se había encargado de elegir la música y de seleccionar pasajes de obras ajenas a la Biblia. Seguí su ejemplo y superé el trago de las exequias aislándome y prestando oídos sordos a lo que se decía. No quería hacer frente aquel día a la muerte de Bobby. No quería perder el dominio de mí misma en un lugar público como aquel. Y sin embargo hubo momentos en que noté que la cara me ardía y los ojos se me nublaban a causa de las lágrimas. Se trataba de algo más que de su muerte. Se trataba de todas las muertes, de todo lo que yo había perdido, mis padres, mi tía.

El cortejo fúnebre tendría diez calles de largo y recorrió la ciudad a paso solemne. El tráfico tenía que detenerse en cada cruce y adiviné los comentarios por la cara que ponía la gente al pasar nosotros. «Vaya, un entierro.» «¿Quién será?» «Menos mal que hace un día estupendo.» «Mira, mira cuántos coches.» «Joder, podían haber ido por otra calle.»

Entramos en el cementerio, verde y cuidado como un jardín. Las hileras de lápidas se prolongaban en todas direcciones exhibiendo su variedad, como si se tratase del taller de un marmolista que expusiera el catálogo completo de sus ofertas. Por todas partes había árboles de hoja perenne, macizos de eucaliptos y sicómoros. Las parcelas estaban separadas entre sí por setos de poca altura y en el plano del camposanto probablemente habría nombres como Serenidad y Praderas Celestiales.

Bajamos de los vehículos e inundamos la hierba recién cortada. Parecía una excursión de alumnos de primera enseñanza: todo el mundo era amable y nadie sabía muy bien qué hacer. Había ocasionales conversaciones en voz baja, pero lo que dominaba era el silencio. El personal de la funeraria, trajeado de negro, nos acompañó a los asientos correspondientes como camareros en un banquete de boda.

Hacía calor, la luz vespertina era cegadora. La brisa mecía la copa de los árboles y jugueteaba con los faldones laterales del palio. Tomamos asiento mientras el sacerdote dirigía los ritos finales. Me sentía mejor al aire libre y me di cuenta de que si la ceremonia había perdido parte de su fuerza era porque le faltaba la música del órgano. En ocasiones como la presente, hasta el himno eclesiástico más insípido puede desgarrar el corazón. Yo prefería el silbido del viento.

El ataúd de Bobby era un bloque macizo de nogal y bronce pulimentados; parecía un baúl de ropa camera gigantesco, demasiado grande para el lugar que le habían asignado. Por lo visto hacía juego con la cripta que se había comprado a propósito para alojarlo bajo tierra. Sobre la tumba se había instalado un complejo mecanismo que al final serviría para descender el féretro y meterlo en la fosa, aunque recelé que se había acoplado en el último momento.

El estilo de los entierros había evolucionado desde el fallecimiento de mis padres y para matar el tiempo especulé sobre los motivos del cambio. La revolución tecnológica, sin duda. Puede que la muerte fuese más metódica en aquella época y por tanto más fácil de poner en orden. Las fosas se cavaban con máquinas, que abrían un hoyo de aristas perfectas en el que se montaba la plataforma de suspensión donde luego se depositaba el ataúd. El bronquerío aquel de los deudos arrojándose de cabeza a la fosa había pasado a la historia. Con la plataforma de suspensión, había que tumbarse boca abajo y colarse por el resquicio como una ardilla, lo que despojaba al gesto de toda su teatralidad.

A un lado del grupo de parientes y amigos vi a Phil y Reva Bergen. El parecía deshecho, pero ella estaba impasible. Sus ojos fueron de la cara del sacerdote a la mía y se me quedó mirando con fijeza ausente. Me pareció ver a Kelly Borden detrás de ellos, pero no estaba segura. Me hice a un lado para ver si coincidían nuestras miradas, pero el rostro había desaparecido. El gentío comenzó a dispersarse y me sorprendió comprobar que ya había terminado todo. El sacerdote miró a Glen con solemnidad, pero la mujer no le hizo el menor caso y se dirigió a la limusina. Derek tuvo la delicadeza de rezagarse lo suficiente para intercambiar unos comentarios.

Cuando llegamos a la limusina vi que Kitty se encontraba ya en el asiento trasero. Habría apostado cualquier cosa a que iba drogada. Tenía las mejillas rojas y los ojos le brillaban de un modo febril, apoyaba las manos en el regazo, pero sin dejar de pellizcarse con nerviosismo la falda negra de algodón. Se había puesto un conjunto que tenía algo de exótico y gitanesco; la blusa, también de algodón negro, estaba sembrada de volantes y recamada llamativamente con hilos rojos y turquesa. Glen había parpadeado un par de veces al verla vestida de aquel modo y una sonrisa apenas perceptible le había bailoteado en los labios antes de concentrar la atención en otra cosa. Por lo visto no había querido convertirlo en problema. Kitty se había mostrado arrogante, pero como Glen no le había presentado batalla, el drama se había quedado desnudo de pasiones antes de comenzar siquiera el primer acto.

Me encontraba junto a la limusina cuando vi que llegaba Derek. Se instaló en el asiento trasero, desplegó uno de los asientos abatibles y fue a cerrar la puerta.

—Déjala abierta —murmuró Glen.

Al chófer no se le veía por ninguna parte. Hubo cierto retraso cuando los del cortejo subieron a los vehículos aparcados a lo largo del camino principal. Otros se habían quedado paseando por la hierba sin objeto aparente.

Derek buscó la mirada de Glen.

—Creí que todo iba bien.

Glen le dio la espalda adrede y se quedó mirando por la ventanilla. Cuando nuestro único hijo ha perdido la vida, ¿qué importancia tiene lo demás?

Kitty sacó un cigarrillo y lo encendió. Tenía las manos como patas de pájaro, la piel como con escamas. El escote elástico de la blusa le dejaba al descubierto un pecho tan enclenque que el esternón y las costillas se le notaban igual que en esas camisetas con estampados anatómicos.

Derek hizo una mueca al notar el humo del tabaco.

—¡Por el amor de Dios, Kitty, apaga eso!

—Déjala en paz —dijo Glen con voz apagada. Kitty pareció sorprendida por aquel apoyo inesperado, pero apagó el cigarrillo de todos modos.

Apareció el chófer, cerró la portezuela del lado de Derek, rodeó el vehículo por detrás y tomó asiento ante el volante. En cuanto se puso en marcha me dirigí a mi coche.

Todos abandonamos un poco el talante sombrío cuando llegamos a la casa. La muerte pareció quedar arrinconada gracias al buen vino y unos entremeses riquísimos. No sé por qué la muerte sigue generando estas pequeñas francachelas. Todo lo demás se ha modernizado, pero aún quedan vestigios de los velatorios antiguos. Entre la sala de estar y el vestíbulo habría unas doscientas personas, pero todo parecía perfecto. Entre el entierro y el sueño reparador que viene después, según mandan los cánones, se abre un incómodo paréntesis que hay que llenar con lo que sea para que no resulte violento.

Reconocí a casi todos los que habían estado en la casa para felicitar a Derek el lunes por la noche: el doctor Fraker y su mujer, Nola; el doctor Kleinert y una mujer más bien ordinaria que supuse sería su señora; el tercer médico de la reunión de cumpleaños, Metcalf, charlaba con Marcy, la secretaria que había coincidido con Bobby en el Departamento de Patología. Me hice con una copa de vino y me abrí paso hacia Fraker. Estaba charlando con Kleinert, los dos con las cabezas muy juntas, y se interrumpieron al llegar yo.

—Qué tal —dije, y de pronto me sentí cohibida. Quizás había sido una iniciativa poco afortunada. Tomé un sorbo de vino y advertí que cambiaban una mirada. Deduje que no les importaba que fuera testigo de sus confidencias porque Fraker reanudó la charla donde la había suspendido.

—En cualquier caso no pienso echar mano del microscopio hasta el lunes, pero a juzgar por el conjunto de síntomas, yo diría que la causa inmediata del fallecimiento fue una herida en la válvula aórtica.

—Al chocar contra el volante —dijo Kleinert.

Fraker asintió y tomó un sorbo de vino. Siguió exponiendo sus conclusiones casi como si se las estuviera dictando a su secretaria.

—Hubo fractura de esternón y varias costillas, y la sección ascendente de la aorta quedó cortada, aunque no del todo, inmediatamente por encima de la corona valvular. Además, sufrió un hemotórax izquierdo de ochocientos centímetros cúbicos y numerosas hemorragias periféricas en la aorta.

Por la cara que ponía Kleinert me di cuenta de que entendía punto por punto sus observaciones. A mí me revolvió las tripas toda aquella explicación, que por otra parte me sonó a chino.

—¿Alcohol en sangre? —preguntó Kleinert.

Fraker se encogió de hombros.

—La prueba fue negativa. No había bebido. Esta tarde tendremos los demás resultados, pero creo que no encontraremos nada. Aunque siempre hay sorpresas, claro.

—Bueno, si es cierta tu hipótesis sobre el bloqueo del ele-ce-erre, entonces era sin duda inevitable un ataque. Barnie le advirtió que vigilase los síntomas —dijo Kleinert. Tenía el rostro alargado y con una expresión de tristeza continua. Si yo tuviera problemas emocionales y tuviese que recurrir a un comecocos, no creo que me ayudara mucho ver una cara como aquélla, semana tras semana. Buscaría a alguien que tuviera un poco de vitalidad, un poco de chispa, a alguien que me diese al menos una pequeña esperanza.

—¿Bobby tuvo un ataque? —pregunté. Estaba ya claro como el agua que hablaban de los resultados de la autopsia. Fraker tuvo que darse cuenta de que yo no había comprendido ni palote porque me dio una explicación traducida.

—Pensamos que Bobby arrastraba secuelas de las lesiones sufridas en la cabeza en el primer accidente. A veces se bloquea la circulación normal del líquido cefalorraquídeo. Aumenta la presión dentro de la cabeza y parte del cerebro comienza a atrofiarse, lo que da lugar a una epilepsia postraumática.

—¿Por eso se salió de la calzada?

—En mi opinión, sí —dijo Fraker—. No puedo afirmarlo categóricamente, pero estoy convencido de que sufría ansiedad, dolores de cabeza y seguramente irritabilidad también.

Kleinert volvió a intervenir.

—Yo lo vi a las siete, a las siete y cuarto, más o menos. Estaba muy deprimido.

—Tal vez sospechara lo que le ocurría —dijo Fraker.

—Lástima que no lo dijera entonces, de ser así.

Siguieron intercambiando murmullos mientras yo trataba de sacar algunas conclusiones prácticas.

—¿Podría provocarse con fármacos un ataque de esas características? —pregunté.

—Desde luego que sí —dijo Fraker—. Los informes toxicológicos no son exhaustivos y los resultados de los análisis dependen de lo que se anda buscando. Hay cientos de productos farmacológicos que afectarían a una persona propensa a los ataques. En términos prácticos, es imposible tenerlos catalogados y controlados.

Kleinert se removió con inquietud.

—Es asombroso que durase tanto después de lo que le ocurrió —dijo—. No queríamos que Glen se preocupara, pero creo que todos nos temíamos la posibilidad de que sucediera algo así.

El tema parecía haberse agotado y Kleinert se dirigió abiertamente a Fraker.

—¿Has cenado ya? Ann y yo teníamos intención de cenar fuera y si Nola y tú se animan...

Fraker declinó la invitación, pero quería más vino y advertí que paseaba la mirada por la multitud, en busca de su mujer. Los dos médicos se separaron tras murmurar una disculpa.

Yo me quedé donde estaba, intranquila, repasando datos. En teoría, Bobby Callahan había muerto de muerte natural, pero de acuerdo con los hechos había fallecido a consecuencia de las heridas sufridas en el accidente de hacía nueve meses, que, según él por lo menos, había sido un intento de asesinato. Por lo que alcanzaba a recordar, la legislación californiana estipulaba que «una muerte provocada es homicidio o asesinato si la víctima fallece antes de transcurridos tres años y un día después de sufrir la agresión o de recibir la causa agente de la defunción». En otras palabras, lo habían asesinado y carecía totalmente de importancia que hubiera muerto aquella noche o la semana anterior. Pero por el momento no tenía ninguna prueba. Aún me quedaba, prácticamente intacto, el dinero que me había dado Bobby junto con una serie de instrucciones muy claras; o sea que el contrato seguía en vigor y yo podía continuar con el caso si quería.

Imaginé que me levantaba y me sacudía el polvo. Había llegado el momento de arrinconar el dolor y de volver al trabajo. Dejé la copa de vino, me acerqué a Glen para decirle dónde iba a estar, subí a la primera planta y registré a conciencia la habitación de Bobby. Quería encontrar el pequeño cuaderno rojo.

13

Yo partía, lógicamente, de la base de que Bobby había escondido el cuaderno de direcciones en algún lugar de la casa. Me había dicho que recordaba habérselo dado a alguien, pero podía no ser verdad. No podía registrar la casa entera, pero sí husmear en un par de sitios. El estudio de Glen, quizá la habitación de Kitty. En la planta superior reinaba el silencio y me alegré de haber estado un rato a solas. Registré durante hora y media y no encontré nada. Pero no me desmoralicé. Me sentía con ánimos, eso es lo raro. Confiaba en la memoria de Bobby.

A eso de las seis empecé a dar vueltas por el pasillo. Apoyé los codos en la balaustrada que rodeaba el descansillo y me puse a escuchar los ruidos y murmullos que llegaban de abajo. El gentío, al parecer, se había reducido mucho. Oía el cascabeleo de algunas risas, retazos de conversación en voz alta, pero me dio la sensación de que se había ido la mayoría de los invitados. Volví sobre mis pasos y llamé a la puerta de Kitty.

Respuesta apagada.

—¿Quién es?

—Yo, Kinsey —dije a la puerta desnuda. Al cabo de unos segundos oí que descorría el pestillo, pero no me abrió la puerta.

—¡Adelante! —exclamó.

Era un coñazo de niña. Entré. Habían ordenado la habitación y hecho la cama; sin contar en absoluto con su ayuda, de eso estaba convencida. Me dio la impresión de que había estado llorando. Tenía la nariz enrojecida y se le había corrido el rímel. Como era de esperar, se estaba drogando. Había cogido un espejito de mano y una cuchilla de afeitar y se estaba preparando un par de rayas de coca. En la mesita de noche había una copa de vino medio vacía.

—Estoy hecha una mierda —dijo. Se había despojado del vestido de gitana y se había puesto un quimono de seda natural, de un verde luminoso, con mariposas bordadas en la espalda y en las mangas. Tenía los brazos tan delgados que parecía una mantis religiosa de ojos relampagueantes y verdes.

—¿Cuándo tienes que volver al St. Terry? —pregunté.

Como no quería estropear la esnifada, antes de responderme se sonó la nariz.

—¿Quién sabe? —dijo con abatimiento—. Esta noche, creo. Al menos podré llevarme algo de ropa. Iba sin nada cuando me llevaron al loquero, joder.

—¿Por qué te complicas así la vida, Kitty? Con Kleinert te iba bien.

—Es la hostia. ¿Has venido para sermonearme?

—He subido para registrar la habitación de Bobby. Busco el cuaderno rojo de direcciones por el que Bobby te preguntó el martes pasado. Supongo que no sabes dónde está.

—No. —Se dobló por la cintura y, sirviéndose de un billete enrollado a modo de pajita, se puso a sorber por una de las fosas nasales como si fuese un aspirador en miniatura. Vi cómo el polvillo de coca le subía hasta la nariz, igual que en un truco de magia.

—¿Se te ocurre a quién pudo habérsela dado?

—No. —Se recostó en la cama apretándose la nariz con los dedos. Se humedeció el índice, rebañó la superficie del espejito y se pasó la yema por las encías, como si se tratase de un calmante para el dolor de muelas. Cogió la copa de vino, volvió a recostarse en las almohadas y encendió un cigarrillo.

—Qué grande eres, tía —dije—. Hoy le das a todo. Unas

rayitas, un lingotazo de vino, tabaco. Me parece que antes de meterte en la Tres Sur vas a tener que pasar por Desintoxicación. –Sabía que la estaba provocando, pero la niña me ponía a cien y tenía ganas de pelearme con ella; por lo menos me sentaría mejor que llorar y lamentarme.

–Vete a cagar –dijo con voz aburrida.

–¿Te importa si lo hago sentada? –pregunté.

Me autorizó con un ademán, me senté en el borde de la cama y miré en derredor con curiosidad.

–¿Qué ha sido de tu alijo?

–¿Qué alijo?

–El que guardabas ahí –dije, señalándole el cajón de la mesita de noche.

Se me quedó mirando con fijeza.

–Jamás he guardado ahí ningún alijo.

Me encantó el detallito de indignación puritana.

–Pues es curioso –dije–. Yo vi que el doctor Kleinert sacaba de ahí un monedero repleto de pastillas.

–¿Cuándo? –dijo con incredulidad.

–El lunes por la noche, cuando te llevaron en camilla. Quaaludes, Placidyles, Tuinales, la tira. –Yo no creía en realidad que aquellos somníferos y sedantes fueran suyos, pero tenía curiosidad por conocer su versión.

Siguió mirándome durante unos momentos y soltó una bocanada de humo que volvió a inhalar limpiamente por la nariz.

–Yo no tomo esas cosas –dijo.

–¿Qué tomaste el lunes por la noche?

–Valium. Por prescripción facultativa.

–¿El doctor Kleinert te recetó Valium?

Se levantó con fastidio y se puso a dar vueltas por la habitación.

–Me estás aburriendo, Kinsey. Por si se te ha olvidado, hoy han enterrado a mi hermanastro. Tengo otras cosas en qué pensar.

–¿Estabas liada con Bobby?

—No, no estaba «liada» con Bobby. Te refieres a tener relaciones sexuales, ¿no? A tener una historia, ¿no?

—Más o menos.

—Qué imaginación tienes. Para que lo sepas, ni siquiera se me ocurrió pensar en Bobby de ese modo.

—Puede que él sí pensara en ti de ese modo.

Se detuvo.

—¿Quién lo dice?

—No es más que una suposición mía. Tú sabes que te quería. ¿Por qué no podía desearte sexualmente también?

—Venga ya. ¿Te lo dijo Bobby?

—No, pero vi cómo reaccionaba la noche que te hospitalizaron. Lo que vi no me pareció que fuera amor exclusivamente fraternal. De hecho se lo pregunté a Glen entonces, pero según ella no había nada.

—¿Lo ves? No había nada.

—Eso es lo malo. Porque habríais podido salvaros el uno al otro.

Imprimió un bailoteo a los ojos y me miró como diciendo: «qué morbosos sois los mayores»; pero con todo y con eso estaba inquieta y como pensando en otra cosa. Localizó un cenicero en la cómoda y apagó el cigarrillo. Levantó la tapa de una caja de música y oí las notas iniciales del *Tema de Lara* de *Doctor Zivago* antes de que la cerrase de golpe. Cuando volvió a mirarme, vi que tenía lágrimas en los ojos y al parecer le daba vergüenza llorar. Se apartó de la cómoda.

—Tengo que hacer la maleta.

Fue al ropero y cogió una bolsa deportiva de lona. Abrió el primer cajón de la cómoda y cogió un puñado de bragas, que metió en la bolsa con brusquedad. Cerró de golpe el cajón y abrió el siguiente, del que sacó camisetas, tejanos y calcetines.

Me puse en pie y me dirigí a la puerta, donde me volví con la mano ya en el tirador.

—Nada dura eternamente. Ni siquiera la desdicha.

—Claro, claro. La mía no, desde luego. ¿Por qué crees que tomo drogas, por la salud?

—Quieres hacerte la dura, ¿eh?

—Joder, ¿por qué no te vas a predicar a las misiones? Te has aprendido muy bien el papel.

—Lo quieras o no, algún día llamará a tu puerta un poco de felicidad. Te convendría mantenerte con vida para disfrutar de ella.

—Lo siento. No hay trato. No me interesa.

Me encogí de hombros.

—Pues muérete. Nadie lo lamentará. Por lo menos, no tanto como la muerte de Bobby. Hasta ahora no has hecho nada por lo que valga la pena recordarte.

Abrí la puerta.

Oí el golpe de un cajón al cerrarse.

—Kinsey.

Me volví. Sonreía como burlándose de sí misma, aunque no lo suficiente.

—¿Te apetece una raya? Yo invito.

Salí de la habitación y cerré con suavidad. Me habría gustado dar un portazo, pero ¿qué sentido tenía?

Bajé a la sala de estar. Tenía hambre y me apetecía una copa de vino. No quedaban ya más que cinco o seis personas. Sufi estaba sentada en un sofá, al lado de Glen. A los demás no los reconocí. Me acerqué a la mesa del bufé que se había instalado al fondo de la sala. Alicia, la doncella chicana, reordenaba una bandeja de gambas y unificaba entremeses para que lo que quedaba no pareciese un montón de sobras. Lo de ser rico era la hostia. A mí nunca se me habría ocurrido. Yo creía que bastaba con invitar a la gente y que cada cual hiciera lo que le diese la gana, pero no; ahora me daba cuenta de que para celebrar una fiesta había que controlarlo todo con muchísima astucia.

Llené un plato, me hice con una copa sin estrenar y me serví vino. Elegí un asiento lo bastante cerca de los demás para no quedar como una grosera, pero lo bastante alejado para no verme obligada a hablar con nadie. Tengo una vena de timidez que sale a la superficie en situaciones como ésta. Prefería chismorrear con cualquier puta de la parte baja de State Street a intercambiar plácemes con aquella gente. ¿De qué íbamos a charlar? En aquel momento hablaban de las inversiones a largo plazo. Probé el paté de salmón y traté de poner interés en mi expresión, como si hubiera hecho un montón de inversiones a largo plazo y ahora me resultaran un engorro. Qué jodido, ¿no?

Noté que me rozaban el brazo y vi que Sufi Daniels se instalaba en el sillón contiguo al mío.

—Glen me ha dicho que Bobby le tenía mucho aprecio —dijo.

—Espero que sea verdad. A mí me caía muy bien.

Se me quedó mirando con fijeza. Seguí comiendo porque no tenía nada más que decir. Llevaba un vestido raro, largo, negro y de un tejido sedoso que combinaba con la chaqueta que se había puesto. Supuse que su intención era ocultar la pequeña joroba que le afeaba la espalda, pero tal como le quedaba se habría dicho que tocaba en alguna orquesta filarmónica, de las multitudinarias. En la cabeza lucía el mismo penacho claro y liso que le había visto al conocerla y se había maquillado con ineptitud. No habría podido diferenciarse más de Glen Callahan. Sus modales eran un tanto condescendientes, como si de un momento a otro me fuera a dar bajo manga un par de dólares por mis servicios. Habría podido darle un corte, pero siempre cabía la posibilidad de que tuviese el cuadernito rojo de Bobby.

—¿Cómo conoció a Glen? —pregunté mientras tomaba un sorbo de vino. Dejé la copa en el suelo, al lado del sillón, y cogí una gamba fría con salsa picante. La mirada de Sufi se desvió para posarse en Glen durante unas décimas de segundo.

—Nos conocimos en la escuela.

—Entonces hace mucho que son amigas.

—Sí, efectivamente.

Asentí mientras tragaba.

—Y estaría usted por aquí cuando nació Bobby —observé; para que la conversación no decayera, sólo por eso.

—Así es.

Ojo al parche, me dije.

—¿Tenía una relación estrecha con Bobby?

—Simpatizaba con él, pero yo no diría que se trataba de una relación estrecha. ¿Por qué lo pregunta?

Cogí la copa de vino y tomé un sorbo.

—Entregó un cuadernito rojo a cierta persona. Quisiera saber a quién.

—¿Cómo era el cuadernito?

Me encogí de hombros.

—De los que sirven para apuntar direcciones y teléfonos. Según me dijo, era pequeño y con tapas rojas de piel.

Se puso a parpadear de pronto.

—Pero usted no continúa con la investigación —dijo. No era una pregunta. Era una afirmación salpicada de incredulidad.

—¿Y por qué no?

—Bueno, Bobby ha muerto. ¿Qué importancia puede tener ya?

—Si murió asesinado, para mí es muy importante —dije.

—Si murió asesinado, el asunto compete a la policía.

Esbocé una sonrisa.

—A los polis de aquí les encanta que les eche una mano.

Sufi echó un vistazo a Glen y bajó la voz.

—Estoy convencida de que ella no tiene intención de que esto continúe.

—No me contrató ella, sino Bobby. En cualquier caso, ¿qué más le da a usted?

Pareció advertir en mi tono una señal de peligro, pero no hizo mucho caso. Esbozó una ligera sonrisa sin abandonar los aires de superioridad.

—Tiene razón. No quería entrometerme —murmuró—.

Pero no estaba segura de sus intenciones y no quería que Glen siguiese sufriendo.

Me correspondía emitir una exclamación tranquilizadora, pero guardé silencio y seguí mirándola. Una manchita rosa en sus mejillas.

—Bien. Ha sido un placer verla de nuevo. —Se levantó, se acercó a uno de los invitados que quedaban y se puso a hablar con él dándome la espalda de manera ostentosa. Me encogí de hombros mentalmente. No estaba segura de lo que buscaba aquella mujer. Tampoco me importaba, salvo que tuviera que ver con el caso. La miré y me puse a cavilar.

Al rato empezaron a despedirse todos los invitados a la vez, como si se hubiera dado una señal. Glen se quedó en la puerta de la sala, recibiendo abrazos y apretones de mano de condolencia. Todos decían lo mismo. «Ya sabes cuánto te apreciamos, querida. Si necesitas alguna cosa, no tienes más que decírnoslo.» Ella contestaba «gracias, así lo haré» y recibía otro abrazo.

Sufi era la que les acompañaba hasta la puerta. Estaba a punto de seguir el ejemplo general cuando capté la mirada de Glen.

—Si se queda un rato más, me gustaría hablar con usted.

—Claro —dije. De pronto caí en la cuenta de que no veía a Derek desde hacía horas—. ¿Dónde está Derek?

—Ha llevado a Kitty al St. Terry. —Se dejó caer en un sofá y se recostó para apoyar la cabeza en el respaldo—. ¿Le apetece una copa?

—Cuando acabe el vino. ¿Quiere que le prepare algo mientras?

—Oh, sí, gracias. Si no le importa, hay una licorera en mi estudio. Me apetece un whisky. Con mucho hielo, por favor.

Crucé el vestíbulo, entré en el estudio y cogí un vaso antiguo y la botella de Cutty Sark. Cuando regresé a la sala, Sufi había vuelto y la casa estaba sumida en ese silencio pesado que suele seguir al alboroto.

Había un cubo con hielo en el extremo de la mesa del bufé e introduje un par de cubitos en el vaso con unas pinzas de plata de ley que parecían reproducir las garras de un dinosaurio. Me sentí exquisita y sofisticada, como si estuviera en una película de los años 40 y llevase un vestido con hombreras y medias con costura.

—Tienes que estar rendida —murmuraba Sufi—. ¿Por qué no te acuestas antes de que me vaya?

Glen sonrió con cansancio.

—Deja, no te preocupes. Vete si quieres.

Sufi no tuvo más remedio que darle un besito y coger el bolso. Alargué a Glen el vaso con hielo y le serví el whisky a continuación. Sufi acabó de despedirse y se fue, no sin antes dirigirme una mirada de cautela. Instantes después oí que se cerraba la puerta principal.

Acerqué un sillón, me acomodé en él y apoyé los pies en el sofá mientras repasaba mi estado físico. Me dolían los riñones, me dolía el brazo izquierdo. Apuré el vino y me escancié un poco de whisky en el mismo vaso.

Glen tomó un trago largo del suyo.

—La he visto hablando con Jim. ¿Le contó algo interesante?

—Cree que Bobby sufrió un ataque y que por eso se salió de la calzada. Una especie de epilepsia derivada de las lesiones que sufrió en la cabeza en el primer accidente.

—¿Y qué significa todo eso?

—Por lo que a mí respecta, significa que si dicho accidente fue en realidad un intento de asesinato, el causante se ha salido al final con la suya.

Se quedó de piedra. Bajó la mirada.

—¿Qué hará usted ahora?

—Bobby me dio un anticipo y aún no me lo he gastado. Pienso seguir con el caso hasta que averigüe quién lo mató.

Me miró a los ojos. Tenía una expresión extraña.

—¿Por qué?

—Para ajustar cuentas. Me gusta tener en orden el libro mayor. ¿A usted no?

—Oh, sí, desde luego —dijo.

Estuvimos mirándonos durante un momento. Alzó el vaso, hice lo mismo y bebimos.

Cuando llegó Derek, los dos se fueron arriba y yo, con el permiso de Glen, me dediqué a registrar su estudio y la habitación de Kitty durante tres horas de búsqueda infructuosa. Al final me cansé y me fui a casa.

14

El lunes a las ocho estaba otra vez en el gimnasio para seguir con los ejercicios. Me sentía como si hubiese ido a la luna y hubiera vuelto. Sin darme cuenta de lo que hacía, busqué a Bobby con la mirada, aunque una milésima de segundo después recordé que era imposible que volviera por allí nunca más. No me hizo ninguna gracia. Perder a una persona produce una impresión indefinida y desagradable, como una ansiedad que quemara por dentro. No es tan concreta como la aflicción, pero es igual de omnipresente y no hay forma de librarse de ella. Seguí moviéndome, esforzándome al máximo, como si el dolor físico pudiese borrar el dolor emocional. Llené de actividad cada minuto y creo que funcionó. Hasta cierto punto es como echarse colonia en una espalda dolorida. Quieres creer que sirve para algo, pero no sabes por qué. Aunque no cura, siempre es mejor que nada.

Me duché, me vestí y me dirigí al despacho. No lo pisaba desde el miércoles por la tarde. El correo se había acumulado y lo dejé encima de la mesa. Parpadeaba el piloto del contestador automático, pero antes tenía que hacer otras cosas. Abrí el balcón, dejé que entrase un poco de aire fresco y preparé una cafetera de filtro. Abrí la nevera y comprobé el estado de la leche semidesnatada pegando la nariz a la abertura practicada en el envase de cartón. Casi casi. Tendría que comprar más en seguida. Cuando el café estuvo listo, busqué una taza limpia y la llené. La leche formó una mancha siniestra en la superficie, pero sabía bien. Unos días me tomo el café solo y otros con leche; porque me da la gana. Me senté en la silla giratoria, apoyé los pies en la mesa y apreté el botón de rebobinar la cinta del contestador automático.

Oí la voz de Bobby. Fue como si me hubieran puesto una mano helada en la nuca.

—Hola, Kinsey, soy Bobby. Siento haberme comportado como un capullo hace un rato. Sé que sólo querías animarme. Me he acordado de algo. Creo que no tiene mucho sentido, pero ahí va de todos modos. Me parece que el apellido Blackman tiene que ver con el asunto. No-sé-qué Blackman. Ignoro si es la persona a quien di el cuadernito rojo o quien va tras de mí. Tal como me funciona el cerebro, a lo mejor no quiere decir nada. En cualquier caso, podemos vernos más tarde por si juntos llegamos a alguna conclusión. Ahora tengo que hacer un par de cosas y luego iré a ver a Kleinert. Procuraré llamarte. Podríamos tomar una copa esta noche. Hasta luego, criatura. Y cuidado con ese culo.

Detuve la cinta y me quedé mirando el aparato.

Abrí el cajón superior del escritorio y cogí la guía telefónica. Sólo figuraba una persona apellidada Blackman, S. Blackman. Sin dirección. Sin duda una mujer que no quería recibir llamadas obscenas. Estoy convencida de que primero hay que probar fortuna con lo más evidente. ¿Y por qué no? Puede que Sarah, o Susan, o Sandra Blackman conociera a Bobby y tuviese el cuaderno rojo, o a lo mejor le había contado con pelos y señales lo que pasaba y yo podía solucionar todo el enredo con un telefonazo. El número estaba desconectado. Probé otra vez, por si me había equivocado al marcar. Volví a oír el mensaje de antes. Tomé nota del número. Podía pertenecer aún al mismo abonado. Puede que S. Blackman se hubiera marchado de la ciudad o hubiera muerto en circunstancias desconocidas.

Volví a rebobinar la cinta para oír otra vez la voz de Bobby. Me sentía inquieta, no sabía cómo llegar a la clave de aquel misterio. Repasé el expediente de Bobby. No había hablado aún con su antigua novia, Carrie St. Cloud, que se me antojó una posibilidad aceptable. Glen me había dicho que a raíz del accidente la muchacha había tomado las de Villadiego, pero tal vez recordara algo de aquella época. Llamé al número que me había dado Glen y estuve un ratito de palique con la madre de Carrie para explicarle quién era yo y por qué quería localizar a la joven. Carrie, por lo visto, había abandonado la casa paterna hacía cosa de un año y se había instalado en un piso pequeño que compartía con otra persona. En la actualidad trabajaba a jornada completa como instructora de aerobic en un estudio de la calle Chapel. Apunté las dos direcciones, la de su casa y la del trabajo, y di las gracias a la madre. Dejé la taza, desenchufé la cafetera de filtro, cerré el despacho con llave y bajé corriendo por las escaleras de atrás.

El cielo estaba cubierto por un manto blanco de nubes bajas. Una neblina grisácea parecía empapar las calles de aire frío. Era extraño, porque las últimas semanas había hecho un calor inaguantable. El clima de Santa Teresa está un poco desquiciado últimamente. Antes se podía confiar en los días soleados de olas tranquilas y templadas y en un cielo despejado que a lo sumo acumulaba algunas nubes detrás de la sierra, y más por el efecto visual que por otra cosa. Las lluvias se presentaban puntualmente en enero, diluviaba sin parar durante dos semanas y el campo se volvía de un verde esmeralda, y la madreselva y las buganvillas cubrían la cara de la ciudad con un maquillaje abigarrado. En la actualidad hay lluvias inexplicables en abril y en octubre, y días fríos en agosto, cuando la temperatura debería ser de treinta grados. Se trata de una mutación misteriosa que recuerda las alteraciones climatológicas relacionadas con la erupción de volcanes en el hemisferio sur y con los agujeros que los aerosoles producen en la capa de ozono.

El estudio, que estaba apenas a una manzana de distancia, se encontraba en un antiguo campo de trinquete que se había quedado artrítico al pasar el furor por el juego de pelota. Al llegar la moda del aerobic fue más bien lógico que las galerías angostas de suelo de madera se transformaran en hornos crematorios de grasa para las mujeres que suspiraban por estar delgadas y en forma. Pregunté por Carrie y la mujer de la entrada señaló sin decir nada hacia el lugar de donde provenía la música ensordecedora que impedía todo intento de conversación. Seguí la prolongación de su índice y doblé la esquina. A mi derecha había una barandilla hasta la cintura desde la que pude ver, en la planta inferior, una clase de aerobic en plena actividad.

La acústica era infernal. Mientras estuve mirando desde la galería, la música estuvo sonando sin parar a todo volumen. Carrie daba gritos de ánimo, y quince de las ciudadanas más esculturales de Santa Teresa se ejercitaban con un fanatismo que pocas veces he tenido ocasión de ver. Por lo visto había llegado en el momento más frenético de la clase. Las elevaciones de nalgas tenían algo de obsceno: enfundadas en un *body* ceñidísimo y echadas de espaldas, las mujeres se dedicaban a gemir mientras metían y sacaban la pelvis como si estuvieran debajo de compañeros invisibles que las achucharan al unísono.

Carrie St. Cloud fue una sorpresa. Por el nombre se habría dicho que era la finalista de algún concurso de belleza para adolescentes o una actriz principiante que en realidad se llamaría Wanda Maxine Smith. Me la había imaginado con buen tipo, aunque nada fuera de lo corriente, la típica surfista californiana, rubia, con dentadura de anuncio de dentífrico y tal vez con alguna debilidad por el zapateado. No era nada de esto.

No tendría más de veintidós años, tenía un cuerpo escultural y musculoso, y un pelo negro que le llegaba hasta la cintura. La cara era de rasgos acusados y enérgicos, como un busto griego, boca carnosa y barbilla redondeada. El *body* que llevaba era un Spandex amarillo que le marcaba las espaldas anchas y caderas estrechas típicas de los gimnastas. Por lo que vi, no había en su anatomía ni un gramo de grasa. De sus pechos no había mucho que decir, aunque producían un efecto muy femenino a pesar de todo. No era un pendón de playa. Se tomaba en serio a sí misma, sabía qué significaba estar en forma y pasaba de un ejercicio a otro sin jadear siquiera. A las otras mujeres se les notaba que hacían esfuerzos. Di gracias al cielo por limitarme a trotar cinco kilómetros al día. Nunca tendría su buen aspecto, pero tampoco salía perdiendo con el cambio.

Carrie ordenó a la clase que practicara movimientos de relajación, un estiramiento pausado y un par de posturas de yoga, y dejó a las alumnas tiradas en el suelo igual que soldados heridos en un campo de batalla. Apagó la música, cogió una toalla, hundió el rostro en ella y abandonó la sala por una puerta que había justo debajo de mí. Busqué las escaleras, bajé y la alcancé junto al surtidor de agua que había a la entrada de las taquillas. El pelo le caía por los hombros como la toca de una monja y tuvo que atárselo y echárselo a un lado para que no se le mojara al beber.

—¿Carrie?

Se enderezó y se secó un hilo de sudor con la manga del *body,* la toalla ahora alrededor del cuello, igual que un boxeador nada más abandonar el ring.

—Sí.

Le dije quién era yo y a qué me dedicaba y le pregunté si podíamos hablar sobre Bobby Callahan.

—Bueno, pero tendrá que ser mientras me adecento. A mediodía tengo que estar en un sitio.

Cruzamos una puerta y accedimos a la sala donde estaban las taquillas. La sala en cuestión carecía de forma y límites concretos, un mostrador la flanqueaba por la derecha hasta la mitad y había filas de taquillas metálicas y una serie de secadores del pelo adosados a la pared. Las baldosas eran de un blanco purísimo, todo el lugar estaba limpio como una patena, había bancos de madera clavados al suelo y espejos por todas partes. Las duchas estaban a mi izquierda, no las veía pero las oía funcionar. Empezaron a entrar las mujeres y supe que las risas aumentarían de volumen a medida que la sala se fuese llenando.

Carrie se quitó los zapatos y se despegó el *body* como quien pela un plátano. Me puse a buscar un sitio donde instalarme. Tengo por norma no entrevistar a señoras desnudas en una estancia llena de cotorras que se despelotan. Advertí que olían igual que los héroes de Santa Teresa en Forma y pensé que era justo que así fuese.

Aguardé mientras se remetía el pelo bajo un gorro de plástico y se dirigía a las duchas. Las mujeres, en el ínterin, desfilaron de aquí para allá más o menos desvestidas. Era un alivio verlas. Como contemplar versiones múltiples de un solo modelo inicial: pechos, nalgas, vientres y pubis. Parecían sentirse bien consigo mismas y había entre ellas una camaradería que me gustó.

Carrie volvió de la ducha envuelta en una toalla. Se quitó el gorro de baño y sacudió la cabellera morena. Me habló por encima del hombro mientras se secaba.

—Pensaba ir al entierro, pero me faltó valor. ¿Estuviste?

—Sí, yo sí que fui. Hacía muy poco que conocía a Bobby, pero de todos modos lo pasé muy mal. Tú salías con él cuando tuvo el accidente, ¿no?

—Bueno, acabábamos de romper. Salimos durante dos años y nos peleamos. Quedé embarazada, entre otras cosas, y aquello fue el final. El aborto lo costeó él, aunque ya no nos veíamos mucho por entonces. Lo pasé muy mal cuando supe lo del accidente, pero me mantuve al margen. Todos pensaron que era una antipática y una cerda, pero ¿qué otra cosa podía hacer? Habíamos terminado. No iba a correr a su lado para hacerme la santa.

—¿Oíste algún comentario sobre el accidente?

—Sólo que alguien le obligó a salirse de la carretera.

—¿Se te ocurre quién pudo hacerlo o por qué?

Tomó asiento en un banco, alzó un pie y se pasó la toalla a conciencia entre los dedos.

—Pues sí y no. Exactamente quién, no, pero sé que le

ocurría algo. Entonces no era muy dado a las confidencias, pero quiso estar conmigo cuando lo del aborto y estuvimos muy unidos durante un par de días. –Alzó el otro pie y se inclinó para observarse los dedos–. El pie de atleta me obsesiona –murmuró–. Disculpa.

Arrojó la toalla a un lado, se levantó, se acercó a una taquilla y sacó la ropa. Se volvió para mirarme.

–No quisiera decirte lo que no es, porque la verdad es que hechos concretos no sé ninguno. Es sólo una impresión que tuve. Recuerdo que me habló de un amigo suyo que estaba en apuros. Y me dio la sensación de que se trataba de un chantaje.

–¿Chantaje?

–Bueno, sí, pero no en el sentido corriente. Vamos, que no me pareció que se tratara de entregar dinero a otra persona ni nada por el estilo. Nada que ver con las películas. Alguien tenía algo relacionado con otra persona, y era un asunto muy serio. Supuse que Bobby había querido ayudar a su amigo y al parecer encontró la manera... –Se puso las bragas y una camiseta. Por lo visto pensaba que sus pechos eran demasiado pequeños para llevar sostén.

–¿Cuándo fue eso? –pregunté–. ¿Recuerdas la fecha?

–Bueno, el aborto fue el dieciséis de noviembre y aquella noche estuvo conmigo. Creo que el accidente fue al día siguiente, el diecisiete por la noche, todo la misma semana.

–He revisado los periódicos de principios de septiembre porque pensaba que a lo mejor estaba involucrado en algún asunto conocido. ¿Tienes idea de cuál fue el escenario, el ambiente en que tuvo lugar esta historia? Es que ni siquiera sé qué busco.

Negó con la cabeza.

–No, no sé nada. De verdad. Lo siento, pero ni siquiera puedo hacer suposiciones.

–¿Crees que el amigo en apuros podía ser Rick Bergen?

–Lo dudo. Conocía a Rick. Si hubiera sido él, Bobby me lo habría dicho.

—¿Alguien del trabajo?

—Mira, no puedo decirte lo que no sé —dijo con un ramalazo de impaciencia—. Se mostraba muy reservado y yo no estaba de humor para tirarle de la lengua. Ya tenía bastante con haber solucionado lo del aborto. En cualquier caso, como tomé calmantes, dormí mucho, y del resto ni me enteré. Lo que Bobby dijo aquella noche fue hablar por hablar, para hacerme olvidar lo ocurrido y supongo que también para tranquilizarme.

—¿Te dice algo el apellido Blackman?

—No, creo que no.

Se puso un pantalón de chándal y unas sandalias. Se dobló por la cintura, se echó el pelo por encima de un hombro, se dio un par de pasadas con un cepillo, cogió el bolso, se lo puso en bandolera y se dirigió hacia la salida. Tuve que correr para alcanzarla. Creía que aún no había terminado de vestirse, pero al parecer no pensaba ponerse nada más. ¿Un pantalón de chándal y una camiseta? Cogería un catarro en cuanto saliese a la calle. Sostuve la puerta mientras accedíamos al pasillo.

—¿Con qué otra gente se veía Bobby por entonces? —le pregunté mientras trotaba a su lado, escaleras arriba, camino de la entrada principal—. Bastaría con un par de nombres. No puedo irme con las manos vacías.

Se detuvo para mirarme.

—Habla con un chico que se llama Gus. No sé su apellido, pero trabaja en la playa, donde alquilan patines. Creo que Bobby le tenía confianza, estudiaron juntos. Puede que sepa algo.

—¿Cuáles eran las otras cosas? Dijiste que quedaste embarazada «entre otras cosas»?

Esbozó una sonrisa crispada.

—No seas plasta, por favor. Estaba enamorado de otra. No sé de quién, o sea que no me lo preguntes. Si hubiera sabido lo de la otra, habría roto con él mucho antes. No tuve la menor noticia de su existencia hasta que le dije que estaba embarazada. Al principio pensé que igual se casaba conmigo, pero cuando me contó que estaba liado en serio con otra, supe lo que tenía que hacer. He de reconocer que, a pesar de todo, se preocupó sinceramente por lo que me ocurría e hizo cuanto pudo. Bobby no tenía nada de falso y en el fondo era un muchacho dulce y amable.

Hizo ademán de alejarse y la sujeté por el brazo mientras pensaba a toda velocidad.

—Carrie, ¿cabe la posibilidad de que el amigo en apuros y la mujer con quien estaba liado fueran la misma persona?

—¿Cómo quieres que lo sepa?

—¿Te dio por casualidad un cuadernito rojo de direcciones?

—Sólo me dio sufrimiento —dijo, y se alejó sin mirar atrás.

15

El chiringuito de los patines es una barraca de color verde oscuro que está pegada al parking del muelle. Por tres dólares se pueden alquilar patines durante una hora; no se cobra nada por las rodilleras, coderas y muñequeras, que se prestan para que, en caso de accidente, no se pueda demandar a la casa por los daños sufridos.

No era fácil adivinar el gusto de Bobby en lo tocante a las amistades. Gus era de esos individuos que, cuando los ves en la esquina, te obligan a cerciorarte de que has cerrado bien las puertas del coche. Debía de tener la edad de Bobby, sólo que tenía el pecho hundido, aspecto frágil y una tez de aire enfermizo. Tenía el pelo castaño oscuro y se empeñaba en cultivar un bigote que sólo conseguía acentuar su pinta de fugitivo. De rufianes con peor aspecto me había fiado en esta vida.

Acababa de presentarme y de asegurarme de que Gus era, en efecto, amigo de Bobby, cuando apareció una rubia de pelo volátil y largas piernas bronceadas para devolver unos patines. Observé la operación. Gus sabía ser simpático a pesar de la primera impresión que producía. Se hizo el coqueto sin dejar de mirarme de reojo de vez en cuando, para exhibirse, imagino. Aguardé mientras le veía calcular cuánto debía la muchacha. Gus le devolvió las bambas y la documentación y la chica se dirigió a un banco a la pata coja para calzarse. Gus no abrió la boca hasta que se fue.

—Te vi en el entierro —dijo con algo de timidez en el

momento de volverse hacia mí—. Estabas al lado de la señora Callahan.

—No recuerdo haberte visto —dije—. ¿Fuiste a la casa después?

Cabeceó con un asomo de rubor.

—No me sentía bien.

—No creo que nadie se sintiera bien en aquellas circunstancias.

—Era mi colega —dijo. En su voz había un temblorcillo apenas perceptible. Se volvió y colocó los patines en su sitio con mucho aparato.

—¿Has estado enfermo? —pregunté.

Pareció debatirse durante una fracción de segundo y dijo:

—Tengo la enfermedad de Crohn. ¿Sabes lo que es?

—No.

—Una especie de inflamación intestinal. Todo lo que como lo expulso al instante. No puedo engordar. La mitad del tiempo tengo fiebre. El estómago me duele. «Etiología desconocida», lo que significa que no se sabe ni la causa ni el origen. Hace casi dos años que la tengo y estoy hecho polvo. No puedo tener un empleo normal, por eso hago esto.

—Pero ¿puedes curarte?

—Espero que sí. Con el tiempo. Vamos, es lo que dicen los médicos.

—Suena horrible, lo siento.

—Pues no te he contado ni la mitad. Bobby me daba ánimos, pero como también él estaba hecho un asco, a veces nos reíamos de todo. Lo echo de menos. Cuando me enteré de que había muerto, estuve a punto de enviarlo todo al carajo, pero entonces oí una vocecita que me dijo: «Coño, Gus, parece mentira, levanta la cabeza... no es el fin del mundo, así que no te comportes como un gilipollas». —Cabeceó—. Era la voz de Bobby, te lo juro. Clavada a la suya. Y levanté la cabeza. ¿Estás investigando su muerte?

Asentí y me quedé mirando a los dos jóvenes que se

acercaban a alquilar unos patines. Se hizo el intercambio y Gus volvió a atenderme tras excusarse por la interrupción. Estábamos en verano y aunque hacía un frío anormal, la playa estaba llena de turistas. Le pregunté si sabía en qué andaba metido Bobby. Se removió con intranquilidad y desvió la mirada.

—Tengo una ligera idea, pero no sé qué hacer. Vamos, que por qué he de decírtelo yo si no te lo contó él.

—Bobby había perdido la memoria. Por eso me contrató. Pensaba que estaba en peligro y quería que yo averiguase lo que sucedía.

—Entonces quizá sea mejor dejarlo estar.

—¿Qué es lo que hay que dejar estar?

—Oye, yo no sé nada concreto. Sólo lo que Bobby me contó.

—¿Por qué estás preocupado entonces?

Volvió a apartar la mirada.

—No lo sé. Déjame pensarlo. La verdad es que no sé mucho, pero no quisiera decir nada sin estar seguro del todo. ¿Lo comprendes?

Se lo concedí. Siempre se puede apretar las clavijas a la gente, pero no da buenos resultados. Es mejor esperar a que el otro hable voluntariamente y por iniciativa propia. Se obtiene más así.

—Bueno, ya me llamarás —dije—. Si no lo haces, te arriesgas a que vuelva por aquí, y puedo ponerme muy pesada. —Saqué una tarjeta y la dejé encima del mostrador.

Por lo visto se sentía culpable por resistirse y esbozó una sonrisa.

—Si te apetece, puedes patinar gratis un rato. Es un buen ejercicio.

—Otra vez será, gracias —dije.

Me estuvo observando hasta que salí del parking y giré a la izquierda. Vi por el espejo retrovisor que se rascaba el bigote con el canto de mi tarjeta. Deseaba que me llamase.

Decidí buscar mientras tanto la caja de cartón donde

los del laboratorio habían guardado las cosas de Bobby a raíz de su accidente. Me dirigí a la casa. Glen había cogido el avión a San Francisco y no volvería hasta el día siguiente, pero Derek sí estaba y le dije lo que quería.

Puso cara de escepticismo.

—Recuerdo la caja, pero no dónde se guardó. Tal vez en el garaje; si me quiere acompañar...

Cerró la puerta principal al salir, cruzamos el jardín y entramos en el garaje de tres plazas que estaba adjunto a un ala del edificio. En la pared del fondo había armarios empotrados para guardar objetos. Ninguno estaba cerrado con llave y casi todos estaban llenos de cajas que parecían llevar allí más años que Matusalén.

Vi una de cartón que reunía muchas probabilidades. Estaba pegada a la pared, debajo de un banco de carpintero, con un sello que decía «jeringuillas de plástico» encima del nombre del proveedor, y una etiqueta de expedición medio rota, a nombre del Departamento de Patología de Hospital de Santa Teresa. La sacamos y la abrimos. El contenido parecía de Bobby, pero no había nada que valiese la pena. Ningún cuadernito rojo, ninguna alusión a nadie apellidado Blackman, ningún recorte de prensa, ninguna nota misteriosa, ninguna carta personal. Había libros de medicina, dos manuales de instrucciones para el equipo radiológico y material de oficina totalmente inofensivo. ¿Qué iba a hacer yo con una cajita de clips y un par de bolígrafos?

—No parece gran cosa —observó Derek.

—No parece nada en absoluto —repliqué—. ¿Le importa si a pesar de todo me la llevo? Puede que le eche otro vistazo.

—No, de ningún modo. Pero permítame. —Me hice atrás, levantó la caja del suelo y la llevó hasta mi coche. Habría podido hacerlo yo, pero ¿para qué ofenderle, si para él era tan importante? Apartó algunos trastos y entre los dos instalamos la caja en el asiento trasero. Le dije que le llamaría y me fui.

Volví a mi domicilio y me puse el chándal. Cerraba la

puerta cuando por la esquina aparecieron Henry y Lila Sams. Iban cogidos del brazo, rozándose con las caderas. El era varios centímetros más alto que ella y parecía una sílfide en aquellos detalles en que ella parecía una foca. La felicidad coloreaba las mejillas de Henry y le daba esa aura especial que tienen las personas cuando acaban de enamorarse. Llevaba unos pantalones de dril de color azul claro, y una camisa del mismo tono que casi volvía luminosos sus ojos azules. Tenía el pelo recién cortado y supuse que para celebrar la ocasión habría recurrido a algún «estilista». Cuando Lila me vio se le crispó un tanto la sonrisa, pero se recuperó en el acto y se echó a reír como una niña.

—Ah, Kinsey, mire, mire qué acaba de comprarme —dijo enseñándome la mano. Se trataba de un anillo con un diamante supergordo que deseé fuera más falso que Judas.

—Halá, qué bonito. ¿Qué se celebra? —pregunté con el corazón en un puño. No me cabía en la cabeza que se hubieran comprometido. Aquella mujer no le convenía, era artificial y frívola, mientras que él era un hombre de una pieza.

—Sólo celebramos el habernos conocido —dijo Henry mirándola—. ¿Cuándo fue? ¿Hace un mes? ¿Seis semanas?

—Ay, pero qué malo es este hombre —dijo ella dando en el suelo una patadita con el piececito—. Como sigas así, te obligaré a que lo devuelvas. Nos conocimos el doce de junio. Era el cumpleaños de Moza y yo acababa de mudarme. Fuiste tú quien le llevó el té que nos sirvió y desde entonces no has dejado de mimarme. —Bajó la voz para adoptar un tono confidencial—. ¿Verdad que es un hombre terrible?

Yo no sé hablar así a los demás, no sé intercambiar bromas y pullas que no tienen sentido. Noté que la sonrisa se me ponía tensa, pero no iba a borrármela de la cara, faltaría más.

—Yo creo que es un hombre estupendo —dije, aunque el elogio me sonó un poco a inexperto e idiota.

—Pues claro que es estupendo —dijo ella en un arrebato–. Y que nadie se atreva a decir lo contrario. Pero es tan ingenuo que cualquiera podría aprovecharse de él.

Lo había dicho con un tono que de pronto se había vuelto pendenciero, como si yo hubiese ofendido a Henry. Percibí el tintineo de las señales de alarma, pero fui incapaz de adivinar lo que llegó a continuación. Me señaló con el dedo, y sus uñas pintadas de rojo perforaron el aire a escasos centímetros de mi cara.

–Por ejemplo, tú, mala mujer –añadió–. Se lo dije a Henry y te lo voy a decir a ti en la cara, lo que pagas de alquiler es un abuso y sabes muy bien que le estás robando sin que se dé cuenta.

–¿Qué?

Entornó los ojos y acercó la cara a la mía.

–No te hagas la tonta conmigo. ¡Doscientos dólares al mes! ¿Habráse visto? ¿Sabes por cuánto se alquilan los estudios en esta zona? Por trescientos. O sea que cada vez que le extiendes un cheque le robas cien dólares. Abusona, eso es lo que eres, una abusona.

–Lila, por favor –dijo Henry, interrumpiéndola. Parecía desconcertado ante aquel ataque sorpresa, aunque saltaba a la vista que habían hablado del asunto–. No hablemos de eso ahora. Kinsey tendrá cosas que hacer.

–Seguro que nos puede dedicar unos minutos –dijo Lila, dirigiéndome una mirada que echaba chispas.

–Seguro –dije en voz baja y me quedé mirando a Henry con fijeza–. ¿Está usted descontento de mí? –Sentí esa mezcla enfermiza de frío y calor que produce el síndrome de la comida china. ¿Pensaría en serio que abusaba de él?

Lila volvió a entrometerse y respondió antes de que Henry pudiese abrir la boca.

–No trates ahora de comprometerle –dijo–. Te admira y te respeta muchísimo, por eso no ha tenido valor para decírtelo hasta ahora. Pero ya me gustaría a mí darte unos azotes en el culo. ¿Cómo te atreves a aprovecharte así de este cacho de pan? Debería darte vergüenza.

—Yo no me aprovecharía nunca de Henry.

—Pero si ya lo haces. ¿Cuánto hace que vives aquí por la miseria que pagas? ¿Un año? ¿Quince meses? No me digas que no has pensado nunca que es una auténtica ganga. Porque si me lo dices, entonces te diré en la cara que eres una embustera y las dos quedaremos en muy mal lugar.

Creo que despegué los labios, pero no pude pronunciar una sola palabra.

—Hablaremos de esto en otra ocasión —murmuró Henry, cogiéndola por el brazo. La obligó a dar un rodeo para evitarme, pero los ojos de Lila seguían clavados en los míos y tenía el cuello y las mejillas enrojecidos de rabia. Me volví para ver cómo se la llevaba Henry hacia la puerta trasera. Se había puesto a protestar en el mismo tono irracional que yo había oído la otra noche. ¿Estaría loca?

Cuando se cerró la puerta tras ellos, el corazón empezó a latirme con fuerza y advertí que estaba empapada de sudor. Me até la llave de casa al cordón de la bamba, me alejé y me puse a trotar antes de que se me calentaran los músculos. Apreté a correr para poner tierra por medio.

Hice cinco kilómetros y volví andando a casa. Las ventanas traseras de Henry estaban cerradas y habían bajado las persianas. Toda la parte de atrás parecía desierta e inhóspita, como un parque estival de atracciones después de cerrar.

Me duché, me puse lo primero que vi y me fui a la calle, con ganas de huir de aquella casa. Aún me sentía picada, pero es que encima empezaba a cabrearme. ¿Por qué se metía aquella mujer donde no la llamaban? ¿Y por qué no había salido Henry en mi defensa?

Caía la tarde cuando entré en Rosie's y no se veía ni un alma. El local estaba a oscuras y olía al tabaco de la noche anterior. El televisor de la barra estaba apagado y las sillas todavía boca abajo encima de las mesas, igual que una compañía de equilibristas haciendo su número. Recorrí el local entero y empujé la puerta batiente de la cocina. Rosie alzó los ojos con sobresalto. Estaba sentada en un taburete alto de madera y troceaba puerros con una cuchilla de carnicero. No soportaba que nadie se metiera en su cocina, sin duda porque no cumplía ninguna norma sanitaria.

—¿Qué pasa? —preguntó cuando me vio la cara.

—He tenido un tropiezo con la amiga de Henry —contesté.

—Oh —dijo. Partió un puerro de una cuchillada y saltaron algunas briznas—. Pues por aquí no ha vuelto. Ha aprendido la lección.

—Está como una cabra. Habrías tenido que oírla la noche que os peleasteis. Estuvo renegando y desvariando durante horas. Ahora me acusa de aprovecharme de Henry en el alquiler.

—Anda, siéntate. Tengo que tener una botella de vodka en algún sitio. —Se dirigió al armarito que había encima del fregadero, se alzó de puntillas y cogió una botella de vodka. Rompió el precinto y me sirvió un dedo en una taza de café. Se encogió de hombros y se sirvió otra ración para sí. Bebimos y noté que la sangre me volvía a correr por la cara.

«¡Uh!», exclamé sin querer. El esófago comenzó a escocerme y sentí que el alcohol me perfilaba el estómago. Fue curioso. Siempre había creído que el estómago estaba más abajo. Rosie puso los puerros troceados en un cuenco y limpió la cuchilla en el fregadero.

—¿Tienes veinte centavos? Dos monedas de diez —dijo con la mano extendida. Rebusqué en el bolso y le di un puñado de calderilla. Se dirigió al teléfono público de la pared. Todo el mundo utiliza este teléfono público, hasta ella.

—¿A quién llamas? No llamarás a Henry, ¿verdad? —dije alarmada.

—¡Chist! —Levantó una mano para que me callara y puso los ojos que la gente suele poner cuando descuelgan al otro extremo del hilo. La voz le salió musical y más dulce que el azúcar—: Hola, querida, soy Rosie. ¿Qué haces en este momento? Ajá, creo que será mejor que vengas. Tenemos que hablar de cierto asuntillo. —Colgó sin esperar respuesta y posó en mí una mirada de satisfacción—. La señora Lowenstein viene a charlar un rato conmigo.

Moza Lowenstein tomó asiento en la silla de cromo y plástico que cogí de detrás de la barra. Es una mujer de grandes dimensiones, con unas trenzas del color del hierro colado, con las que se envuelve la cabeza como si fueran cintas de fantasía y con una cara que, a causa de los polvos blancos que se pone, parece tener la consistencia del merengue. Cuando habla con Rosie suele empuñar un talismán defensor, unos cuantos lápices, un cucharón de madera, cualquier objeto. Aquel día se presentó con un trapo de cocina. Rosie, por lo visto, la había sorprendido en plena limpieza y la mujer había salido tal como estaba, como si hubiese recibido una orden. Le tenía miedo a Rosie, al igual que toda persona sensata. Rosie se saltó todos los protocolos y fue derecha al grano.

—¿Quién es esa Lila Sams? —dijo. Cogió la cuchilla de carnicero y la descargó sobre un pedazo de ternera. Moza dio un respingo. Cuando ésta pudo articular palabra, la voz le salió trémula y pastosa.

—La verdad es que no lo sé. Se presentó en mi casa, según ella porque había leído un anuncio en el periódico, pero se trataba de una equivocación. Yo no alquilaba habitaciones y se lo dije. La pobre se echó a llorar y no tuve más remedio que invitarla a tomar un té.

Rosie se la quedó mirando con incredulidad.

—¿Y le alquilaste una habitación?

Moza dobló el paño de cocina y le dio esa forma de cangrejo o de *croissant* que tienen las servilletas de algunos restaurantes.

—Bueno, no. Le dije que se podía quedar conmigo hasta que encontrase alojamiento, pero ella insistió en pagar por las molestias. Dijo que no le gustaba deber nada a nadie.

—A eso se le llama alquilar una habitación. Ahí está —exclamó Rosie.

—Bueno, sí. Dicho de ese modo...

—¿Y de dónde es esta mujer?

Moza desplegó el paño y se lo pasó por el labio superior, donde la transpiración le había formado un bigote húmedo. Se lo colocó acto seguido en el regazo y se puso a alisarlo con la mano extendida, como si fuera una plancha. Los brillantes ojos de Rosie no se perdían ninguno de sus movimientos y se me ocurrió que igual le daba un tajo con la cuchilla y le cercenaba la mano. Parece que a Moza se le ocurrió lo mismo porque dejó de juguetear con el paño y se quedó mirando a Rosie con cara de culpable.

—¿Qué?

Rosie repitió la frase, remarcando las sílabas como si hablara con una extranjera.

—¿De dónde es Lila Sams?

—De un pueblo de Idaho.

—¿De qué pueblo?

—Bueno, no lo sé —dijo Moza a la defensiva.

—Hay una mujer viviendo en tu propia casa y no sabes de dónde es.

—¿Y qué importancia tiene eso?

—¿No sabes qué importancia tiene? —Rosie la miró de hito en hito, con asombro exagerado. Moza apartó los ojos y compuso una mitra de obispo con el paño de cocina.

—Hazme un favor, ¿quieres? Averígualo —dijo Rosie—. ¿Podrás?

—Lo intentaré —dijo Moza—. Aunque no le gusta la gente curiosa. Me lo dijo de un modo categórico.

—Yo también soy categórica. Soy categórica en que no me gusta esa mujer y en que quiero saber qué busca. Averigua de dónde es y Kinsey se encargará del resto. No creo que haga falta decírtelo, Moza, no quiero que Lila Sams se entere. ¿Entendido?

Moza parecía acorralada. Vi que se debatía, tratando de calcular qué era peor: cabrear a Rosie o que Lila Sams la sorprendiera fisgoneando. Iba a ser una lucha muy reñida, pero yo sabía por quién tenía que apostar.

16

Volví al despacho a última hora y pasé a máquina las notas que había tomado. No eran muchas, pero no me gusta que el trabajo se me acumule. Aunque Bobby había muerto, cada tanto redactaba informes y minutas parciales, pero únicamente para mi propio uso. Acababa de meter su expediente en el cajón y estaba limpiando el escritorio cuando oí un golpecito en la puerta y vi la cabeza de Derek Wenner.

—Ah. Hola —dijo—. Pensé que la encontraría aquí.

—Hola, Derek —dije—. Pase.

Titubeó durante unos momentos mientras paseaba la mirada por mi reducido espacio oficinesco.

—Me lo había imaginado de otra manera —dijo—. Es agradable. Quiero decir que es pequeño, pero eficiente. Eeeeh... ¿qué tal la caja de Bobby? ¿Ha habido suerte?

—No la he mirado aún, he estado ocupada con otras cosas. Pero siéntese.

Cogió una silla y se sentó, sin abandonar todavía la inspección ocular del despacho. Llevaba un suéter deportivo, pantalón blanco y zapatos de dos colores.

—De modo que es aquí donde... ¿eh?

Supuse que aquella era su forma de entender las conversaciones. Tomé asiento y le dejé divagar un poco. Parecía nervioso y fui incapaz de adivinar por qué se había presentado en mi oficina. Cruzamos murmullos e interjecciones para poner de manifiesto nuestra buena voluntad. Nos habíamos visto hacía unas horas y no teníamos mucho que decirnos.

—¿Qué tal está Glen? —le pregunté.

—Bien —dijo asintiendo con la cabeza—. Está muy bien. No sé cómo lo ha conseguido, diantre, aunque ya sabe usted que es una mujer de buena pasta. —Tendía a expresarse con entonación dubitativa, como si no estuviera totalmente seguro de decir la verdad. Carraspeó y la voz le cambió de timbre—. Bueno, le diré por qué estoy aquí. El abogado de Bobby me llamó hace un rato para hablar del testamento de Bobby. ¿Conoce a Varden Talbot?

—Personalmente, no. Me envió una copia de los informes redactados a raíz del accidente de Bobby, pero no sé nada más de él.

—Un tipo listo —dijo Derek. Vi que se atascaba. Era cuestión de tirarle de la lengua, de lo contrario podíamos estar allí el día entero.

—¿Y qué le contó?

La cara de Derek era una mezcla asombrosa de nerviosismo y descreimiento.

—Pues algo sorprendente —dijo—. Por lo que me dijo, creo que mi hija va a heredar todo el dinero de Bobby.

Tardé un poco en deducir que la hija a la que se refería era Kitty Wenner, cocainómana, domiciliada actualmente en el pabellón psiquiátrico del St. Terry.

—¿Kitty? —exclamé.

Se removió en la silla.

—También yo me llevé una sorpresa, no crea. Según Varden, Bobby hizo testamento al entrar en posesión de su herencia, hace tres años. Se lo dejó todo a Kitty. Poco después del accidente añadió un codicilo en que legaba una pequeña cantidad a los padres de Rick.

Estuve a punto de decir «¿A los padres de Rick?», como si sufriese de ecolalia, pero me mordí la lengua y le dejé continuar.

—Glen no volverá hasta la noche, o sea que no lo sabe aún. Supongo que querrá hablar con Varden por la mañana. Varden me dijo que haría una fotocopia del testamento y nos la mandaría a casa. Aún tiene que adverarlo y protocolizarlo.

—¿Se conocía ya lo que contenía?

—Que yo sepa, no. —Siguió hablando mientras yo calculaba el significado y alcance de aquel testamento. El dinero es siempre un motivo poderoso. Descubre quién se beneficia económicamente y trabaja a partir de allí. Kitty Wenner. Phil y Reva Bergen.

—Disculpe —dije, interrumpiéndole—. ¿De qué cantidades estamos hablando?

Derek hizo una pausa para acariciarse la mandíbula con la mano, como si pensara en la posibilidad de afeitarse.

—Bueno, cien de los grandes para los padres de Rick, y en fin, no sé. Kitty percibirá probablemente un par de kilos. O sea que en impuestos por herencia la cosa se va a poner...

Todos los ceros expresados empezaron a bailotearme en la cabeza como si fueran bombones. «Cien de los grandes» y «un par de kilos», cien mil dólares y dos millones. Me quedé totalmente impasible, mirándole con fijeza. ¿Por qué habría querido contarme a mí todo aquello?

—¿Y cuál es la pega? —pregunté.

—¿Qué?

—Que por qué me lo cuenta. ¿Hay algún problema, acaso?

—Bueno, creo que me preocupa la reacción de Glen. Ya sabe lo que piensa de Kitty.

Me encogí de hombros.

—Era dinero de Bobby y éste tenía derecho a disponer de él como le diera la gana. ¿Qué puede decir ella?

—Entonces, ¿cree usted que no impugnará el testamento?

—Oiga, yo no puedo especular sobre lo que Glen hará o dejará de hacer. Hable con ella, a ver qué le dice.

—Sí, será cuestión de hacerlo cuando regrese.

—Supongo que con el dinero se habrá instituido una especie de fideicomiso, dado que Kitty sólo tiene diecisiete años. ¿A quién se ha nombrdo fiduciario? ¿A usted?

—No, no. Al banco. Creo que Bobby no tenía una opinión muy elevada de mí. La verdad es que me preocupa el cariz que ha tomado todo esto. Bobby dice que alguien quiere matarle, y cuando muere resulta que Kitty hereda todo su dinero.

—La policía querrá hablar con ella, seguramente.

—Pero usted no cree que Kitty tuviese nada que ver con el accidente de Bobby, ¿verdad?

Ajá, por fin descubría la oreja.

—Para serle franca, me costaría creerlo, pero los de Homicidios pueden tener otra opinión. Es posible que mientras tanto le investiguen también a usted.

—¡¿A mí?! —Muchos signos ortográficos para tan pocas palabras.

—¿Y si le ocurriera algo a Kitty? ¿Quién se quedaría con el dinero? Porque Kitty no está precisamente rebosante de salud.

Me miró con incomodidad, sin duda lamentando haber ido. Si lo había hecho con la vaga esperanza de que le tranquilizase, la verdad es que me había limitado a aumentar sus motivos de inquietud. Momentos después daba por terminada la conversación y se ponía en pie mientras me decía que volvería a ponerse en contacto conmigo. Al darse la vuelta para irse, vi que el suéter deportivo se le había pegado a la espalda, y por el sudor me di cuenta de hasta qué punto estaba en tensión.

—Ah, otra cosa, Derek —dije antes de que desapareciera—. ¿Le dice algo el apellido Blackman?

—No, creo que no. ¿Por qué?

—Por curiosidad nada más. Le agradezco que haya venido. Si se entera de alguna otra cosa, hágamelo saber, por favor.

—Así lo haré.

Cuando se hubo marchado, llamé a un amigo que trabaja en la compañía telefónica y le pregunté por S. Blackman. Dijo que lo consultaría y que me llamaría cuando supiese algo. Bajé al parking y saqué la caja de cartón que había cogido del garaje de Bobby. Volví al despacho e inspeccioné el contenido, sacando los objetos uno por uno. No había más de lo que ya había visto: un par de manuales de radiología, libros de medicina, clips, bolígrafos, cuadernos de notas. Nada que a simple vista tuviera interés. Volví a bajar la caja y la dejé otra vez en el asiento trasero del coche, con la idea de devolverla a la familia de Bobby en cuanto me dejara caer por la casa.

¿Que hacer a continuación? No se me ocurría nada.

Me dirigí a mi domicilio.

Nada más estacionar el coche en la acera de enfrente, me puse a espiar la calle por si había algún rastro de Lila Sams. Aunque sólo la había visto tres o cuatro veces en mi vida, había adquirido unas proporciones desmesuradas y destruido toda la paz y tranquilidad que hasta entonces había asociado a la idea de «casa». Cerré el coche con llave y doblé la esquina para entrar por el patio, sin quitar ojo a la parte trasera de la casa de Henry por si éste se encontraba allí. La puerta de atrás estaba abierta y percibí el aroma de la levadura y la canela que se filtraba por el cancel. Escruté el interior y vi a Henry sentado a la mesa, ante una taza de café y el periódico vespertino.

—¿Henry?

Alzó los ojos

—Ah, hola, Kinsey. Ya estás aquí. —Se levantó para descorrer el pestillo del cancel y lo sujetó para que yo entrara—. Pasa, pasa. ¿Te apetece un café? He hecho unas *crêpes*, estarán en un minuto.

Entré en la casa, no del todo convencida y casi esperando que Lila Sams se me echara encima en plan tarántula.

—No quisiera interrumpir nada —dije—. ¿Está Lila?

—No, no. Tenía cosas que hacer, aunque dijo que volvería a eso de las seis. Voy a invitarla a cenar. He reservado mesa en el Crystal Palace.

—Guau, qué impresionante —dije.

Apartó una silla para que me sentara y me sirvió un café mientras me entretenía mirando en derredor. Lila, según parece, había metido sus elegantes manos en la casa. Las cortinas eran nuevas, de algodón verde aguacate y con un estampado en que había de todo: saleros, fruta y cucharones de madera unidos y atados con lacitos verdes. Los salvamanteles y las servilletas hacían juego, y los complementos eran de un tono calabaza que pegaba bien. En el mostrador vi un salvamanteles metálico, muy nuevo, con un lema doméstico burilado con muchas florituras. Me pareció que decía «Dios Bendiga Estos Bizcochos», pero imagino que no era verdad.

—Ha arreglado usted la casa —dije.

Miró en derredor con la cara radiante.

—¿Te gusta? Ha sido idea de Lila. Esa mujer ha transformado mi vida.

—¿De veras? Pues qué bien —dije.

—Hace que me sienta... no sé, creo que *vivo* es la palabra exacta. Con ganas de empezar otra vez.

Me pregunté si se habría olvidado ya de la acusación que Lila había lanzado sobre mí a propósito del alquiler. Se puso en pie, abrió el horno e inspeccionó las *crêpes,* que al parecer aún no estaban listas. Volvió a meterlas y cerró el horno, aunque sin despojarse de la manopla de color calabaza que se había puesto en la derecha y que parecía un guante de boxeo.

Me removí con inquietud en el taburete en que me había encaramado.

—Creo que usted y yo tendríamos que hablar, después de lo que dijo Lila acerca del alquiler.

—Bah, no te preocupes —dijo—. No fue más que un acceso de mal humor.

—Pero Henry, no quiero que piense que me estoy aprovechando. ¿No cree que deberíamos arreglarlo de una vez por todas?

—Paparruchas. Yo no creo que te estés aprovechando.

—Pero ella sí.

—No, no, de ningún modo. Entendiste mal.

—¿Qué entendí mal? —dije sin dar crédito a lo que oía.

—Mira, fue culpa mía y lamento no haberlo aclarado entonces. Lila pierde los estribos con facilidad y se da cuenta. Estoy convencido de que tiene ganas de disculparse. Después de aquella escena tuvimos una larga conversación al respecto y me consta que se sintió culpable. No fue nada personal. Lo que ocurre es que es un poco quisquillosa, pero por lo demás, la mujer más amable del mundo. Cuando la conozcas mejor, te darás cuenta de que es una persona maravillosa.

—Eso espero —dije—. Estaba preocupada porque tuvo una agarrada con Rosie y luego va y la toma conmigo. No sabía bien qué pasaba.

Se echó a reír.

—Vamos, yo no me lo tomaría muy en serio. Ya sabes cómo es Rosie. Se mete con todo el mundo. Lila es buena persona. Tiene un corazón de oro y es tan leal como un perrito faldero.

—Está bien, pero no me gustaría que acabara usted tocando fondo —dije. Era una de esas expresiones que en realidad no significan nada, pero me pareció muy oportuna.

—No te preocupes —dijo con dulzura—. Son muchos los años que tengo ya y aún no he tocado fondo.

Volvió a comprobar el estado de las *crêpes,* las sacó del horno y puso la plancha sobre el salvamanteles metálico para que se enfriase. Giró para mirarme.

—No he podido comentártelo hasta ahora. Pero Lila y yo vamos a dedicarnos a los negocios inmobiliarios.

—No me diga.

—Por eso salió a relucir el tema del alquiler. El alquiler refleja el valor general de una propiedad y eso es lo que le preocupaba a ella. Me dijo que no quería entrometerse en nuestras relaciones; es muy práctica cuando se trata de negocios, pero no quiere dar la impresión de que se mete donde no la llaman.

—¿Y a qué clase de negocios inmobiliarios van a dedicarse?

—Bueno, ella tiene ciertas propiedades que servirán de aval, y con lo que obtengamos por esta casa tendremos para pagar la entrada de los inmuebles que queramos.

—¿Aquí, en Santa Teresa?

—Preferiría no decirlo, Lila me hizo jurar que guardaría el secreto. Aún no está decidido, por supuesto, pero cuando hayamos cerrado el trato te lo diré. Probablemente lo solucionaremos en un par de días. Tuve que jurar que no diría ni palabra.

—No lo entiendo —dije—. ¿Va usted a vender la casa?

—Pues yo ni siquiera me atrevo a entender los detalles —dijo—. Me resultan demasiado complicados.

—No sabía que Lila se dedicara a la propiedad inmobiliaria.

—Hace años que está metida en ello. Se casó con un importante especulador de Nuevo México que, al morir, le legó una fortuna. Ella dice que se dedica a las inversiones inmobiliarias casi como un pasatiempo.

—¿Y es de Nuevo México? Creo que alguien me dijo que era de Idaho.

—Bueno, ha vivido en todas partes. En el fondo es una bohemia. Y quiere que yo también lo sea, y me tiene medio convencido. Partir hacia el crepúsculo y esas cosas. Un buen coche y un mapa de los Estados Unidos. Ir adonde nos lleven las carreteras. Gracias a ella he rejuvenecido veinte años.

Tuve ganas de hacerle preguntas más concretas, pero en aquel momento oí el «yuu-juuu» de Lila junto al cancel y apareció su cara, coronada de ricitos coquetones. Al verme se llevó la mano a la mejilla y se transformó en la viva imagen de la timidez.

—Ah, Kinsey. Creo que sé por qué estás aquí —dijo. Entró en la cocina y se detuvo un instante con las manos unidas entre sí, como si estuviera a punto de caer de rodillas para rezar—. Pero no debes decir ni una sola palabra hasta que yo acabe —añadió. Se volvió a Henry—. Supongo, Henry, que ya le habrás dicho cuánto lamento haberme comportado como lo hice —dijo con una vocecita muy particular.

Henry le pasó el brazo por los hombros y la apretó contra sí.

—Ya se lo he explicado y creo que lo comprende —dijo—. No quiero que te preocupes más por eso.

—Pero es que estoy preocupada, pocholito, y no me sentiré bien hasta que me excuse personalmente.

¿Pocholito?

Se acercó al taburete en que estaba yo sentada, me cogió la mano derecha y me la apretó.

—Lo siento. Lamento mucho lo que te dije y te pido perdón. —Hablaba con voz tan compungida que «Pocholito» estuvo a punto de desmayarse de la emoción. Lila me miraba a los ojos con fijeza mientras me clavaba un par de anillos en los dedos. Por lo visto les había dado la vuelta para que las gemas estuvieran en la palma y surtieran el máximo efecto al estrechar el apretón.

—Tranquila, no se preocupe —dije—. No le dé más vueltas. Yo ya lo he olvidado.

Y para demostrarle que era generosa, me levanté y le pasé el brazo por los hombros, tal como Henry había hecho. La estreché contra mí del mismo modo, le pisé la punta del pie derecho y me eché hacia delante. Lila se dobló un poco hacia atrás, pero mantuvo el pie firme para que no pudiera despegárseme. Nuestras miradas se cruzaron durante un segundo. Me dedicó una sonrisa de amor y me soltó la mano. Reduje la fuerza del pisotón, pero no sin que antes le apareciesen dos manchas rojas en los pómulos, como a las cacatúas.

«Pocholito» pareció complacido con la reconciliación y yo también. Murmuré una disculpa y me fui minutos más tarde. Lila ya no me miraba y advertí que había tomado asiento para quitarse el zapato.

17

Entré en casa, me serví un vaso de vino y me preparé un bocadillo de pan integral con queso graso y rodajas finas de pepino y cebolla. Lo partí por la mitad, lo envolví por abajo con un papel que hiciera las veces de plato y servilleta, y me lo llevé al cuarto de baño junto con el vino. Entreabrí la ventana, me metí en la bañera y me comí el bocadillo mientras lanzaba miradas ocasionales al exterior para ver cuándo se marchaban a cenar Lila y Henry. Aparecieron por la esquina a las siete menos cuarto, Henry se acercó al coche y abrió la portezuela del copiloto para que Lila subiera. Me levanté poco a poco, aunque me mantuve apartada de la ventana hasta que oí alejarse el coche.

Había terminado ya el bocadillo y no tenía nada que fregar, sólo hacer una bola con el papel y tirarla a la basura. Me sentía irracionalmente satisfecha. Me puse unas bambas, cogí el juego de llaves maestras, las ganzúas, una navajita y una linterna, y fui andando a casa de Moza Lowenstein. Llamé al timbre. Asomó la cabeza por la ventana lateral, me miró con desconcierto y abrió.

—No sabía quién podía ser a estas horas —dijo—. Pensé que era Lila, que volvía porque se le había olvidado algo.

No suelo hacer visitas a Moza y adiviné que se estaba preguntando qué hacía yo en su casa. Se apartó para dejarme entrar, sonriendo con timidez. En la televisión reponían *M. A. S. H.* y los helicópteros levantaban nubes de polvo.

—Necesito hacer un par de averiguaciones sobre Lila

Sams –dije, mientras escuchaba los alegres compases de *El suicidio no duele.*

–Oh, bueno, acaba de salir –dijo Moza con voz precipitada. Ya se había dado cuenta de que mis intenciones no eran del todo lícitas y supuse que acariciaba la idea de disuadirme.

–¿Ocupa la habitación del fondo? –dije, entrando en el pasillo. Sabía que el dormitorio de Moza estaba al final del pasillo a la izquierda. Inferí que el cuarto de Lila era la antigua habitación «de huéspedes».

Moza me siguió. Es una mujer muy voluminosa, que tiene los pies hinchados por culpa de no sé qué dolencia. Su cara era una mezcla de angustia y desconcierto. Giré el tirador. La puerta de Lila estaba cerrada con llave.

–No puede usted entrar ahí.

–¿Que no?

Tenía ya cara de espanto, y verme introducir la llave maestra en la cerradura no contribuyó a tranquilizarla. Era una cerradura casera normal y corriente, y bastaría con una llave de punta limada; tenía varios modelos en el llavero.

–¿Es que no se da cuenta? –insistió Moza–. La puerta está cerrada con llave.

–No, se confunde. ¿Lo ve? –Abrí la puerta y Moza se llevó la mano al corazón.

–Volverá de un momento a otro –dijo con voz temblorosa.

–Mire, no voy a llevarme nada –dije–. Procuraré no tocar nada y Lila no sabrá nunca que he estado aquí. Usted siéntese en la salita y vigile la puerta, por si las moscas. ¿De acuerdo?

–Se enfadará mucho si descubre que la he dejado entrar –dijo. Tenía unos ojos tan lastimeros como los de un perro salchicha.

–Pero no lo descubrirá, o sea que no tiene por qué preocuparse. Por cierto, ¿ha averiguado usted de qué pueblo de Idaho procede?

—Dice que de Dickey.

—Oh, estupendo. Se lo agradezco mucho. Nunca ha dicho que viviera en Nuevo México, ¿verdad que no?

Negó con la cabeza y se dio unos golpecitos en el pecho como si tuviera ganas de eructar.

—Por favor, dése prisa —dijo—. No sé qué haría si se presentase ahora.

Yo tampoco lo tenía muy claro.

Entré en la habitación y cerré la puerta al tiempo que encendía la luz. Oí que Moza se alejaba hacia la puerta delantera del piso, murmurando en voz baja.

La habitación estaba llena de muebles viejos que no creo merecieran el calificativo de antiguos. Eran como los que veo a veces en las traperías y tiendas de ocasión del centro de Los Angeles: crujientes, deformes y con un extraño olor a ceniza mojada. Había una cómoda, dos mesitas de noche que hacían juego, un tocador con un espejo redondo entre dos series de cajones. La cama era de hierro y estaba pintada de un blanco desconchado. La colcha era de terciopelo rosa, con flecos en los bordes. El papel de la pared consistía en una acumulación desordenada de ramilletes de flores, malva y rosa claro sobre fondo gris. Había varias fotos de tonalidad sepia, todas ellas de un hombre que supuse era el señor Lowestein; un hombre, en cualquier caso, que se peinaba hacia atrás un pelo empapado en agua y que llevaba gafas redondas de montura dorada. Tendría veintitantos años, era guapo, de buena presencia y se le adivinaban unos dientes algo saltones debajo del mohín de seriedad que caracterizaba la boca. En el estudio fotográfico le habían teñido de rosa las mejillas, no pegaba con el resto de la foto pero producía buen efecto. Me habían contado que Moza se había quedado viuda en 1945. Me habría gustado ver una foto suya de aquella época. Volví a concentrarme en el registro casi a regañadientes.

Había tres ventanas estrechas, las tres cerradas por dentro, las tres con las persianas echadas. Espié por una y vi un fragmento de patio a través de la tela metálica oxidada y enmarcada en madera carcomida. Consulté la hora. No eran más que las siete. Como mínimo estarían fuera una hora y no creí necesario preparar una salida de emergencia. Es absurdo, por lo demás, andarse con rodeos en estos menesteres. Fui a la puerta, la abrí y la dejé entornada. Moza había apagado la televisión y me la imaginé espiando tras las cortinas de la ventana que daba a la calle, con el corazón en la boca, punto donde más o menos lo tenía yo también.

Aún era de día, pero la habitación estaba a oscuras a pesar de haber encendido la bombilla del techo. Empecé por la cómoda. Hice una revisión preliminar con la linterna por si Lila había improvisado alguna trampa delatora. En efecto, había pegado unos cuantos cabellos entre dos cajones. Los cogí y, con mucho cuidado, los puse sobre el tapete de punto que cubría la superficie.

El primer cajón estaba lleno de bisutería, cinturones enrollados juntos, pañuelos bordados, una caja de reloj, horquillas, botones sueltos y dos pares de guantes blancos de algodón. Estuve mirando un rato aquel bazar, sin tocar nada, preguntándome por qué merecía el truco protector de los cabellos pegados. Quienquiera que registrase los enseres de Lila comenzaría sin duda por aquel cajón, es decir, que posiblemente se trataba de un punto de referencia que podía comprobar fácilmente cada vez que volviera a su cuarto. Probé con el cajón siguiente, que estaba lleno de bragas de nailon, indiscutiblemente de señora mayor, alineadas con orden. Pasé un dedo experimentado por entre las prendas, procurando no cambiarlas de sitio. No descubrí nada, ni pistolas ni cajitas ni bultos extraños.

Movida por un impulso, volví a abrir el primer cajón y revisé el fondo a conciencia. No había nada pegado con cinta adhesiva. Saqué el cajón de las guías e inspeccioné la parte de atrás. ¡Aja já! Uno a cero. Se trataba de un sobre envuelto en plástico y pegado al listón de atrás con cinta adhesiva. Saqué la navaja e introduje el filo bajo una de las puntas de la cinta adhesiva, que fui levantando hasta que pude hacerme con el sobre. Contenía un permiso de conducir, expedido en Idaho a nombre de Delilah Sampson. La mujer tenía sentido bíblico del humor.* Tomé nota de la dirección, la fecha de nacimiento, la estatura, el peso, el color del pelo y de los ojos, datos que en términos generales parecían coincidir con los de la mujer que yo conocía con el nombre de Lila Sams. ¡Oh, cielos, había encontrado un filón! Metí el permiso de conducir en el sobre, volví a poner éste donde estaba y repasé con el dedo los bordes de la cinta adhesiva. Observé el resultado con ojo crítico. A mí me parecía intacto, pero siempre cabía la posibilidad de que Lila lo hubiera cubierto todo de polvillo mágico para que las manos se me pusieran rojas en cuanto me las lavara. Pero no creí que fuera tan astuta.

También se había utilizado como caja de seguridad el listón trasero del segundo cajón, donde encontré varias tarjetas de crédito y otro permiso de conducir. Este se había expedido a nombre de Delia Sims, domiciliada en Las Cruces, Nuevo México, y con la misma fecha de nacimiento que figuraba en el otro. Volví a tomar nota de los datos y devolví el carnet a su escondrijo con mucho cuidado. Metí otra vez el cajón y consulté la hora. Las siete y media pasadas. Por mí no había problema, pero aún quedaba mucho por registrar. Seguí la búsqueda, poniendo mucha atención en lo que hacía y guardándome de tocar nada. Cuando hube terminado de registrar los cajones de la cómoda, cogí los cabellos y volví a pegarlos en su sitio.

En el tocador no encontré nada y en las mesitas de noche menos aún. Miré en el armario, registré bolsillos, maletas, bolsos de mano y las cajas de zapatos, en una de las cuales vi la factura correspondiente a las sandalias rojas de tacón incorporado que calzaba Lila cuando nos presentaron. Cosido a la factura había un talón de compra con tar-

* El nombre, castellanizado, sería: Dalila Sansón *(N. del T.)*

jeta de crédito; me guardé ambos papeles para echarles después un vistazo más detenido. No había nada debajo del lecho, nada detrás de la cómoda. Iba a registrarlo todo otra vez por si se me había pasado algo por alto cuando oí un gritito agudo en la sala de estar.

—¡Kinsey, ya vuelven! —gimió Moza, muerta de miedo.

Amortiguado por la distancia, oí en la calle el estampido típico que produce la portezuela de un coche cuando se cierra de golpe.

—Gracias —murmuré. La adrenalina me recorrió el sistema circulatorio como el agua recorre las cañerías en un día de lluvia y habría jurado que el corazón, al igual que en las películas de dibujos animados, me hinchaba una tercera teta. Contemplé la habitación desde una perspectiva general. Todo parecía en su sitio. Abrí la puerta, salí al pasillo, cerré, saqué del bolsillo de los tejanos el manojo de llaves limadas. La linterna. ¡Joder! Me la había dejado encima del tocador.

Murmullos en la puerta de la casa. Lila y Henry. Moza haciéndose la simpática, preguntándoles por la cena. Volví a abrir sigilosamente, correteé de puntillas hasta el tocador, cogí la linterna y volví al pasillo. Me puse la linterna bajo el brazo y recé a todos los santos del cielo para no equivocarme de llave maestra. La giré hacia la izquierda y oí el chasquido del pestillo al entrar en el agujero. La giré en sentido contrario y la saqué con muchas precauciones, procurando evitar que las demás tintineasen. Miré por encima del hombro al tiempo que buscaba una salida.

A la derecha del pasillo, a cosa de un metro, estaba el vano por el que se accedía a la sala de estar. El dormitorio de Moza se encontraba al final de este tramo. A la izquierda estaba el recodo del teléfono, un cuarto trastero, el cuarto de baño y la cocina; al fondo se veía la entrada del comedor que comunicaba a su vez con la sala de estar. Si entraban por aquí, accederían al pasillo por mi derecha. Corrí hacia la izquierda y de dos saltos me colé en el cuarto de baño. Me di cuenta al instante de que había elegido el peor sitio posible. Habría tenido que dirigirme a la cocina, por la que se podía salir a la calle. El cuarto de baño era una ratonera.

A la izquierda tenía la ducha, que era independiente y a la que se entraba por una portezuela de vidrio opaco; pegada a la ducha estaba la bañera. A la derecha tenía la pila y, algo más allá, el retrete. Sólo había un ventanuco y probablemente llevaba años sin abrirse. Oí que las voces aumentaban de volumen y supuse que Lila acababa de entrar en el pasillo. Me metí en la ducha autónoma y cerré la portezuela. No me atreví a echar el pestillo. No me cupo la menor duda de que se habría oído el chasquido metálico, que habría delatado mi presencia. Empuñé la linterna, me sujeté a la puerta, pegué los dedos a las baldosas y me fui agachando hasta quedar en cuclillas, ya que si entraba alguien sería menos visible si permanecía encogida. Retumbaron las voces en el pasillo y oí que Lila abría la puerta de su cuarto.

La ducha, que se había utilizado hacía poco, estaba húmeda aún y olía a jabón Zest. Un trapo del piso, colgado del grifo del agua fría, me goteaba en el hombro. En situaciones así, lo mejor es buscar refugio en la meditación trascendental. De lo contrario se acaba con dolores en las rodillas, con calambres en las piernas, perdiendo todo sentido de la precaución y con unas ganas locas de salir corriendo y chillando, a despecho de las consecuencias. Hundí la cara en el brazo derecho y me concentré en mi mundo interior. Aún sentía en la garganta el sabor de la cebolla del bocadillo. Tenía ganas de carraspear. Y de echar una meada. Esperaba que no me descubrieran porque iba a hacer un ridículo espantoso si a Lila o a Henry les daba por abrir la ducha y me veían allí agazapada. Ni siquiera me molesté en preparar una explicación. No había ninguna.

Alcé la cabeza. Voces en el pasillo. Lila había salido de su cuarto y cerrado a sus espaldas. A lo mejor había entrado sólo para cerciorarse de que los cabellos de seguridad seguían en su sitio. Habría tenido que confiscarle los permisos de conducir nada más verlos. No, había hecho bien dejándolos donde estaban.

La puerta del cuarto de baño se abrió de pronto y la voz de Lila retumbó entre las cuatro paredes de baldosas como si hablase por un megáfono. El corazón me dio tal vuelco que fue como si me hubiera sumergido en una piscina de agua helada. Lila estaba exactamente al otro lado de la portezuela de la ducha, a través de cuyo vidrio opalino distinguía vagamente su gordo perfil. Cerré los ojos, igual que hacen los niños, y deseé ser invisible.

—No tardo nada, querido —canturreó a medio metro de mí.

Se dirigió a la taza y oí el murmullo de su vestido de poliéster y el crujido de la faja.

Dios de los cielos, murmuré para mí, no permitas que se dé una ducha inesperada ni que le entren ganas de cagar. Estaba tan tensa que me habría puesto a estornudar, a toser, a gemir, a reír como una histérica. Me obligué a estar inmóvil, como hipnotizada, mientras el sudor me corría por las axilas.

Oí el agua de la cisterna. Lila tardó una eternidad en componerse la ropa. Murmullo, crujido, chasquido. La oí darle a la manivela y el agua de la cisterna volvió a salir a chorro. Se lavó las manos y el grifo gimió al cerrarse. ¿Cuánto tiempo iba a estar allí aquella mujer? Se dirigió por fin a la puerta, la abrió y oí que sus pasos se alejaban por el pasillo, camino de la sala de estar. Cuchicheos, bisbiseos, risas apagadas, voces de despedida y se cerró la puerta principal.

No moví ni un músculo hasta que oí la voz de Moza en el pasillo.

—¿Kinsey? Se han ido ya. ¿Sigues aquí?

Expulsé el aire que había retenido en los pulmones y me puse en pie, al tiempo que me guardaba la linterna en el bolsillo trasero. Esta no es forma de ganarse la vida, pensé. Hostia, es que ni siquiera me iban a pagar por aquello. Saqué la cabeza por la portezuela de la ducha para cerciorarme de que no era una trampa. En la casa no había absolutamente nadie, salvo Moza, que en aquel momento abría el armario de los cacharros de la limpieza, sin dejar de murmurar «¿Kinsey?».

—Estoy aquí —dije en voz alta.

Salí al pasillo. Moza estaba tan emocionada porque no me habían descubierto que fue incapaz de enfadarse conmigo. Se apoyó en la pared y se abanicó con la mano. Pensé que lo mejor era marcharme de la casa cuanto antes, no fuera que volviesen con cualquier pretexto y me quitaran otros diez años de mi esperanza de vida.

—Es usted fabulosa —murmuré—. Toda la vida estaré en deuda con usted. Recuérdeme que la invite a cenar en el bar de Rosie.

Entré en la cocina y asomé la cabeza por la puerta trasera antes de salir. Ya era noche cerrada, pero antes de abandonar el oscuro refugio de la casa de Moza me aseguré de que la calle estaba desierta. Volví andando a casa, riéndome por dentro. En realidad tiene gracia esto de jugar con el peligro. Me divierte meter las narices en los cajones de los demás. Si el cumplimiento de la ley no me hubiese tentado primero, creo que me habría dedicado a desvalijar pisos. En lo tocante a Lila, comenzaba por fin a controlar una situación que no me gustaba ni un pelo, y el saberme con un poco de poder en la mano casi me producía vértigo. No sabía muy bien qué buscaba aquella mujer, pero estaba decidida a averiguarlo.

18

Ya en casa y a salvo, saqué el talón de compra con tarjeta de crédito que había cogido de la caja de zapatos de Lila. La compra en cuestión se había hecho el 25 de mayo en un establecimiento de Las Cruces. El nombre del propietario de la tarjeta, que había quedado impreso en el talón, era «Delia Sims». En la casilla del «teléfono» se había garabateado un número. Cogí la guía y busqué el prefijo de Las Cruces. Cinco, cero, cinco. Fui al teléfono y marqué el número, y mientras oía a lo lejos las señales de la llamada me pregunté qué diantres diría cuando descolgaran.

—Diga. —Voz de hombre. Cuarentón. Sin inflexiones.

—Sí, ¿oiga? —dije con afabilidad—. Quisiera hablar con Delia Sims.

Unos momentos de silencio.

—Espere, por favor.

Supuse que habían puesto la mano en el auricular porque al fondo oí el murmullo apagado de una conversación. Entonces se puso al habla otra persona.

—Dígame.

Era una mujer, pero no supe adivinar la edad.

—¿Delia? —dije.

—¿Quién llama, por favor? —La voz estaba en guardia, como si pudiera tratarse de una llamada obscena.

—Oh, disculpe —dije—. Soy Lucy Stansbury. No es usted Delia, ¿verdad? No me suena su voz.

—Soy una amiga de Delia. Ella no está en este momento. ¿Quería algo?

—Bueno, tal vez —dije con el cerebro a doscientos por hora—. Llamo desde California. He conocido a Delia hace poco y el caso es que se olvidó un par de cosas en el asiento trasero de mi coche. La única forma de ponerme en contacto con ella era este número de teléfono, que vi en la factura de una compra que efectuó en Las Cruces. ¿Sigue en California o ha vuelto ya a casa?

—Un momento, por favor.

Otra vez la mano en el auricular y el murmullo de una conversación al fondo. Volvió a ponerse la mujer.

—¿Por qué no me dice su nombre y su teléfono para que la llame ella cuando vuelva?

—Sí, desde luego —dije. Le repetí el nombre, que le deletreé minuciosamente, y me inventé un número con prefijo de Los Angeles—. ¿Quiere que le envíe las cosas por correo o espero hasta que me llame? Me sabe mal porque a lo mejor no sabe dónde se las dejó.

—¿Qué es lo que se dejó exactamente?

—Ropa sobre todo. Un vestido de verano que sé que le gusta, aunque no creo que tenga mucha importancia. También tengo el anillo, el de esmeraldas y diamantes —dije, describiéndole el anillo que había visto en el dedo de Lila aquella primera tarde, en el jardín de Henry—. ¿Cree que tardará en volver?

Tras titubear abiertamente, la mujer replicó con sequedad:

—Pero ¿quién es usted?

Colgué. Toma, me dije, por querer engañar a los de Las Cruces. Era incapaz de adivinar las intenciones de aquella mujer, pero no me gustaba nada el negocio inmobiliario que había propuesto a Henry. Este estaba tan colado por Lila que ella podía convencerle sin duda de cualquier cosa. Y como la condenada se movía aprisa además, me dije que era urgente obtener unas cuantas respuestas antes de que le sacara a Henry todo lo que tenía. Cogí un fajo de tarjetas nuevas de fichero que tenía encima de la mesa, y cuando minutos más tarde sonó el teléfono, di un respingo. Mierda, ¿ya han localizado la llamada? No, imposible.

Descolgué con cautela y escuché por si oía el zumbido lejano de las conferencias. No, no era una conferencia.

—¿Sí?

—¿La señorita Millhone? —Hombre. La voz me era conocida, aunque no pude identificar al propietario. Al fondo se oía música a todo volumen, motivo por el que mi interlocutor se veía obligado a hablar a gritos y por el que también yo tuve que gritar.

—¡Sí, soy yo!

—Soy Gus —voceó—, el amigo de Bobby, el del puesto de patines.

—Ah, hola. Encantada de oírte. Ojalá tengas alguna información porque te lo agradecería de veras.

—Pues mira, he estado pensando en Bobby y creo que estoy en deuda con él. Debería habértelo dicho todo esta tarde.

—No te preocupes. Te agradezco que no me hayas olvidado. ¿Quieres que nos veamos o prefieres decírmelo por teléfono?

—Me es igual. Hay algo que quería comentarte, no sé si te será útil o no, pero Bobby me dio un cuaderno de direcciones y a lo mejor te gustaría echarle un vistazo. ¿Te habló de él en alguna ocasión?

—Y tanto que sí. He puesto patas arriba la ciudad para ver si lo encontraba. ¿Dónde estás ahora?

Me dio un número de la calle Granizo y le dije que estaría allí en unos minutos. Colgué y cogí el bolso y las llaves del coche.

El barrio de Gus estaba mal iluminado y los patios y jardines eran solares adornados de vez en cuando con una palmera. Los coches pegados a las aceras eran vehículos baratos, con la pintura sin repasar, los neumáticos gastados y abolladuras que daban miedo. La compañía ideal para mi VW. Cada tres casas más o menos había una verja nueva de tela metálica, levantada para encerrar Dios sabe qué animales. Al pasar delante de una oí un revuelo desagradable y furioso que corrió hasta donde daba de sí la cadena que lo sujetaba y que se convirtió en gemido ahogado al ver que no me podía alcanzar. Seguí mi camino.

Gus vivía en una pequeña casa de madera situada en un semicírculo de casas iguales y que compartían un mismo jardín. Crucé la puerta ornamental sobre la que las cifras del número de la calle se habían dispuesto en arco. Había ocho viviendas en total, tres a cada lado del camino del centro y dos al fondo. Todas tenían un color amarillento, aunque por culpa del hollín incluso de noche su aspecto era deprimente. Supe cuál era la de Gus porque de ella salía la misma música que había oído por teléfono. De cerca no sonaba tan bien. La cortinilla de la puerta era una sábana colgada de una barra normal de cortinas y el cancel, en vez de tirador, tenía un taco de madera sujeto por un clavo. Para llamar tuve que esperar a que terminase la canción y se produjese un poco de silencio. La música se reanudó con gran estruendo.

—¡Voy! —gritó Gus, que al parecer me había oído. Abrió la puerta y sostuvo el cancel para que pasara. Me introduje en la estancia y se me echaron encima el calor, la música a toda pastilla y un fuerte olor a gato.

—¿No puedes quitar ese ruido? —grité.

Asintió, se acercó al equipo y lo apagó.

—Lo siento —dijo con voz insegura—. Siéntate.

Su casa era la mitad de pequeña que la mía, pero con el doble de muebles. Cama de cuerpo y medio, una cómoda grande de conglomerado, el equipo de música, unas derrengadas estanterías a base de ladrillo y tablas, dos sillones con la tapicería rota por los lados, una estufa de placas y una de esas unidades del tamaño de una mesa de televisor y que reunía el fregadero, la cocina y el frigorífico. El cuarto de baño estaba separado de la estancia principal por un trozo de tela que colgaba de una cuerda. Las dos lámparas que había se habían envuelto en sendas toallas rojas que reducían sus doscientos cincuenta vatios a un suave resplandor rosáceo. Los dos sillones estaban llenos de gatos, cosa de la que Gus pareció darse cuenta al mismo tiempo que yo.

Cogió una brazada de felinos como quien coge un montón de ropa y me senté en el espacio que quedó libre. En cuanto los gatos aterrizaron en la cama, emprendieron el camino de vuelta. Uno de ellos se puso a sobarme el regazo como si fuese masa de pan y cuando quedó satisfecho se enroscó sobre sí mismo. Otro se me pegó al costado y un tercero se instaló en el brazo del sillón. Al parecer se espiaban para ver cuál se quedaba con la mejor parte. Tenían pinta de adultos y sin duda eran de la misma camada, ya que todos tenían el mismo pelaje y la cabeza del tamaño de una bola de billar. En el otro sillón había dos jóvenes encogidos, el uno pelirrojo y el otro negro, enredados como calcetines desparejos. Otro, el sexto, salió de debajo de la cama y se detuvo, estirando primero una pata trasera y luego la otra. Gus lo contempló con sonrisa apocada y con expresión de orgullo.

—¿Verdad que son estupendos? —dijo—. Nunca me aburro con estos pequeñajos. Por la noche, cuando me meto en la cama, se me echan encima como un edredón. Uno se me pone en la almohada y me enreda el pelo con los pies. Y es que no me canso de darles besos. —Cogió uno y lo acunó como a un niño pequeño, humillación que el felino soportó con una pasividad sorprendente.

—¿Cuántos tienes?

—Por ahora sólo seis, pero Luci Baines y Lynds Bird están preñadas. No sé qué voy a hacer con tantos.

—Los podrías regalar —dije en plan amable.

—Supongo que no tendré más remedio cuando nazca la camada siguiente. Además, es algo que sé hacer, y como son tan dulces y adorables...

Quise comentarle que por otra parte olían muy bien, pero no me atreví a ser sarcástica cuando saltaba a la vista que estaba loco por aquellos felinos. Y es que él parecía sacado de un fotomontaje, el retrato-robot de un asesino sexual, con tanta tontería a propósito de aquella colección de pellejos domesticados.

—Habría tenido que decírtelo antes —prosiguió—. Pero no sé qué me pasó. —Se dirigió a las estanterías, rebuscó entre los mil cachivaches que había en la de arriba y volvió con un cuaderno de direcciones del tamaño de un naipe.

Lo hojeé por encima en cuanto me lo dio.

—¿Te contó Bobby el sentido que tenía para él?

—Pues no. Me dijo que lo guardara y que era importante, pero no me explicó por qué. Supuse que se trataba de una lista, un código cifrado, en fin, algo revelador e informativo, pero la verdad es que no tengo ni idea.

—¿Cuándo te lo dio?

—La fecha exacta no la recuerdo. Fue un poco antes del accidente. Un día se presentó en casa, me preguntó si podía guardárselo y le dije que no había problema. Ya no me acordaba de que lo tenía hasta que tú me hiciste pensar en ello.

Busqué la B en el índice. No figuraba allí ningún Blackman, pero vi el apellido escrito a lápiz en la cara interior de la tapa de atrás, al lado de un número de siete cifras. No constaba ningún prefijo y pensé que sería un teléfono de Santa Teresa, aunque no me pareció el mismo número del S. Blackman que había encontrado en la guía.

—¿Qué te dijo exactamente cuando te lo dio? —pregunté. Sabía que me estaba repitiendo, pero abrigaba la esperanza de encontrar alguna indicación relativa a las intenciones de Bobby.

—En realidad no me dijo nada más. Sólo que se lo guardara. Tampoco te lo dijo a ti, ¿eh?

Negué con la cabeza.

—No lo recordaba. Sabía que era importante, pero ignoraba por qué. ¿Has oído alguna vez el apellido Blackman? ¿S. Blackman? ¿Lo-que-sea Blackman?

—No. —El gato se revolvió y Gus lo dejó en el suelo.

—Tengo entendido que Bobby se había enamorado de una chica. Puede que esta chica fuese S. Blackman.

—Si lo era, a mí no me lo dijo. Sé que en dos ocasiones se vio en la playa con una mujer. En el parking que hay junto al puesto de patines.

—¿Antes o después del accidente?

—Antes. Se quedaba esperando en el Porsche, llegaba ella y se ponían a hablar.

—¿Te la presentó o te dijo quién era?

—Sé qué aspecto tenía, pero no su nombre. Los vi entrar una vez en la cafetería, y qué pinta tan rara tenía la mujer, oye. Parecía un Gremlin. No podía creérmelo. Bobby era un tío macizo y siempre iba con niñas estupendas, pero aquella tía era un monstruo.

—¿Pelo rubio y estropajoso? ¿De unos cuarenta y cinco tacos?

—No la vi nunca de cerca y no sé qué edad tendría, pero el pelo sí era como tú dices. Conduce un Mercedes que veo de vez en cuando. Verde oscuro, beige por dentro. Parece del cincuenta y cinco o del cincuenta y seis, pero como nuevo.

Volví a hojear el cuaderno. En la D figuraban la dirección y el teléfono de Sufi.

¿Habría estado liado con *ella*? Me pareció poco probable. Bobby no había pasado de los veintitrés años y, tal como había dicho Gus, había sido un muchacho muy apuesto. Carrie St. Cloud había hablado de una especie de chantaje, pero aun en el caso de que alguien chantajeara a Sufi, ¿por qué iba ella a solicitar la ayuda de Bobby? Tampoco me parecía probable que fuese Sufi la chantajista y él el chantajeado. Fuera lo que fuese, por lo menos se trataba de una pista que rastrear. Me guardé el cuaderno en el bolso y miré a Gus, que me observaba con ojos divertidos.

—Joder, tía, deberías mirarte al espejo. La cara te ha dado un cambio de la hostia.

—Es que lo que me gusta es esto, que pasen cosas —dije—. Oye, me has prestado una ayuda valiosísima. Aún no sé qué significado tiene el cuaderno, pero te juro que acabaré por averiguarlo.

—Eso espero. Lamento no haberte dicho nada cuando me preguntaste en la playa. Si crees que puedo hacer algo más, dímelo.

—Gracias. —Me sacudí el gato del regazo, me levanté y nos dimos la mano.

Me dirigí al coche mientras me sacudía los tejanos y me quitaba del labio un pelo de gato. Ya eran las diez de la noche y tenía que volver a casa, pero me sentía en forma. Lo ocurrido en el domicilio de Moza y la inesperada aparición del cuaderno de Bobby me habían estimulado. Quería hablar con Sufi. ¿Y si me dirigía a su casa? Podíamos charlar un rato si aún estaba levantada. En cierto momento había querido apartarme de la investigación y empezaba a preguntarme de qué iría todo aquel asunto.

19

Aparqué enfrente de la casa que tenía Sufi en el centro mismo de Santa Teresa, al otro lado de la calzada de Haughland Road. Las viviendas de los alrededores eran casi todas de piedra y madera y alzaban sus dos plantas en parcelas grandes donde abundaban el enebro y el roble. En muchos jardines vi esos rótulos que tanto parecen gustar en California y que advierten sobre la presencia de patrullas armadas que vigilan el barrio en silencio.

El jardín de Sufi estaba cubierto por las ramas entrelazadas de los árboles que crecían a ambos lados del camino, al fondo del cual se erguía la vivienda, rodeada de una maraña de arbustos y de una valla blanca de estacas gruesas. El edificio se había construido en base a tablas traslapadas en sentido horizontal, de color verde, mate o marrón, aunque era difícil asegurarlo a aquella hora de la noche. El porche lateral era angosto y muy hundido, y no vi ninguna luz en la puerta. Un Mercedes verde oscuro estaba aparcado a la izquierda del camino.

Era un barrio tranquilo. No había tráfico ni se veía a nadie en las aceras. Salí del coche y me dirigí a la parte delantera de la casa. Advertí de cerca que el edificio era enorme, de esos que ahora está de moda transformar en albergues con desayuno incluido y bautizar con nombres raros: «La gaviota y el macuto», «La golondrina de mar», «El timo de la estampita». Pueden verse por toda la ciudad: mansiones victorianas reconstruidas y de un pintoresco insufrible, donde, por noventa dólares la noche, se disfruta de una cama de latón y a la mañana siguiente se pelea con un *croissant* recién hecho que pone los muslos perdidos de unas escamas de hojaldre que más bien parecen caspa.

A juzgar por su aspecto, la casa de Sufi todavía era una vivienda unifamiliar, aunque estaba ya algo estropeadilla. Puede que, al igual que muchas solteronas de su edad, Sufi hubiera alcanzado ese punto en que la falta de hombre se traduce en grifos y cañerías que necesitan repararse. Las solteras de mi edad echarían mano de la llave inglesa o treparían por la cañería con ese júbilo extraño que produce la autonomía. Sufi había dejado que la casa cayera en un estado de abandono y me pregunté qué haría con lo que ganaba. Tenía entendido que las enfermeras especializadas en cirujía cobraban una pasta.

En la parte trasera había un porche con muchas ventanas y en los vidrios se reflejaba el destello grisáceo y azulenco de un televisor encendido. Subí por unos peldaños de cemento agrietado y llamé a la puerta. Momentos más tarde se encendía la luz del porche y aparecía la cara de Sufi al otro lado de las cortinas.

—Hola, soy yo —dije—. ¿Puedo hablar con usted?

Pegó la cara al vidrio y miró en torno, tal vez para comprobar si me acompañaba alguna banda de malhechores. Abrió en bata y zapatillas, con un brazo pegado a la cintura y con la mano del otro apretándose las solapas de la bata alrededor del cuello.

—Me ha dado usted un susto de muerte —dijo—. ¿Qué hace por aquí a estas horas? ¿Ha ocurrido algo?

—Nada en absoluto, no se preocupe. Siento haberla alarmado. Pasaba por aquí y tuve ganas de hablar con usted. ¿Puedo pasar?

—Estaba a punto de acostarme.

—Entonces podemos hablar aquí fuera.

Me miró con cara de pocos amigos y se apartó a regañadientes para dejarme entrar. Era media cabeza más baja que yo y le raleaba tanto la rubia pelambre que podía verle el cuero cabelludo. Pero no me parecía la típica señora mayor que se quedaba en casa con aquella bata de raso melocotón y las babuchas de pelo. Se notaba que le iba la marcha. A punto estuve de decirle «Tira, pendón», pero tuve miedo de que se ofendiera.

Una vez dentro, fotografié mentalmente la casa y archivé una copia en la memoria, en espera de futuras valoraciones. La estancia estaba sin ordenar y probablemente también sin limpiar ni fregar, habida cuenta de los platos sucios que la decoraban por doquier, las flores marchitas que había en un jarrón y la basura que crecía alrededor de una papelera llena hasta el borde. El agua que había en el fondo del jarrón había criado tantas bacterias que se había vuelto espesa y probablemente olería igual que un enfermo de cáncer de vejiga a punto de morir. En el brazo del sillón había una cajita de bombones estrujada. En el escabel, abierto y boca abajo, había uno de esos libros condensados que publica *Reader's Digest.* La estancia olía a pizza de mortadela, un fragmento de la cual entreví en la caja que había encima del televisor. El calor que emanaba el aparato la mantenía caliente, y el aroma del orégano y la mozzarella se mezclaban con el olor del cartón. Me acordé de que hacía un siglo que no probaba bocado.

—¿Vive usted sola? —le pregunté.

Me miró como si mi intención fuera desvalijarle la casa.

—¿Y qué si es así?

—Pensé que era usted soltera. Pero no es más que una suposición, porque nadie me ha dicho nada en este sentido.

—Es muy tarde para hacer encuestas —dijo con aspereza—. ¿Qué quiere?

Me siento liberada cuando la gente se me pone rústica. Es como si se me abriesen las compuertas de la tolerancia, la indolencia y la ordinariez. Le sonreí.

—He encontrado el cuaderno de Bobby.

—¿Y por qué me lo cuenta a mí?

—Tengo curiosidad por saber qué relación tenía usted con él.

—Yo no tenía ninguna relación con él.

—Eso no es lo que he oído decir.

—Pues ha oído mal. Conocerle, le conocía, desde luego. Era el único hijo de Glen, y Glen y yo somos amigas íntimas desde hace años. Al margen de esto, Bobby y yo no teníamos nada que decirnos.

—Entonces ¿por qué se reunía con él en la playa?

—Yo nunca me «reunía» con él en la playa —dijo con sequedad.

—Cierta persona la vio con él en más de una ocasión.

Titubeó un segundo.

—Puede que me lo encontrase por casualidad un par de veces. ¿Qué hay de malo en ello? También le veía cuando trabajaba en el hospital.

—Lo que quisiera saber es de qué hablaban, nada más.

—Supongo que de muchas cosas —dijo. Advertí que ajustaba los engranajes cerebrales, probablemente para cambiar de táctica. Se despojó de unos cuantos kilos de dignidad ofendida, para sustituirla por lo visto por un poco de simpatía—. No sé qué me pasa. Siento haber sido tan grosera. Pero ya que está aquí, siéntese, por favor. Si quiere un vaso de vino, tengo una botella en el frigorífico.

—Pues sí. Muchas gracias.

Salió de la habitación, agradecida sin duda porque así tendría tiempo para inventarse explicaciones. Yo, por mi parte, me sentí encantada, porque me permitió husmear un poco. Me acerqué al sillón e inspeccioné la mesa que había junto a él. La superficie estaba alfombrada de objetos que no quise tocar. Abrí el cajón. Parecía el taller de un lampista. Pilas, velas, un alargador eléctrico, facturas, gomas elásticas, cajas de cerillas, dos botones, una caja de costura, lápices, correo comercial, un tenedor, una grapadora, todo ello rodeado y cubierto de polvo. Metí un dedo en el borde del asiento del sillón, recorrí el perímetro del mismo y encontré una moneda, que dejé donde estaba. Oí en la cocina el chirrido que produce una botella cuando se descorcha y el tintineo de los vasos cuando se cogen de la alacena. Cuando Sufi emprendió el camino de vuelta, el tintineo aumentó de volumen. Abandoné el registro y me instalé con indiferencia en el brazo del sofá.

Quería decirle algo bonito sobre la casa, pero me preocupaba más la posibilidad de que hubiera vencido la validez de mi última vacuna contra el tétanos. Si hubiera tenido que ir al lavabo, en vez de sentarme en la taza me habría puesto en cuclillas.

—Toda una casa —observé.

Hizo una mueca.

—La señora de la limpieza vendrá mañana —dijo—. No es que haga mucho, pero mis padres la tuvieron durante muchos años y yo no tengo valor para despedirla.

—¿Viven con usted?

Negó con la cabeza.

—Murieron. De cáncer.

—¿Los dos?

—Suele ocurrir —dijo con un encogimiento de hombros.

Cuánto amor por la familia.

Llenó un vaso y me lo tendió. Por la etiqueta de la botella vi que se trataba del mismo tarquín de reserva especial que solía beber yo antes de hacerme adicta a los envases de cartón con una viña dibujada en primer término. Estaba claro que ni ella ni yo teníamos ni paladar ni presupuesto para nada que valiese la pena.

Se instaló en el sillón con el vaso en la mano. Saltaba a la vista que había cambiado de actitud. Algo bueno había tenido que maquinar en la cocina. Tomó un sorbo de vino y me miró por encima del borde del vaso.

—¿Ha hablado con Derek hace poco? —preguntó.

—Se presentó en mi oficina esta tarde.

—Ha tenido que mudarse. Cuando Glen volvió de San

Francisco, ordenó a la doncella que empaquetara sus cosas y se las dejara en la puerta. Luego cambió las cerraduras.

—Qué cosas tiene la vida —dije—. ¿Sabe por qué?

—En vez de preocuparse por mí, le resultaría más productivo hablar con él.

—¿Por qué dice eso?

—Porque él tenía un motivo para matar a Bobby. Yo no; en caso de que sea eso lo que anda usted buscando.

—¿A qué motivo se refiere?

—Glen se ha enterado de que hace dieciocho meses suscribió a nombre de Bobby una póliza de seguros muy cuantiosa.

—¿Qué? —El vaso se me volcó y el vino me chorreó por la mano. No podía ocultar que estaba sorprendida, pero no me gustó la cara de listilla que puso para darme en la boca.

—Lo que oye. La compañía de seguros la localizó para solicitarle una copia del acta de defunción. Es probable que el agente leyese lo de Bobby en la prensa y se acordara del nombre. Así se enteró Glen.

—Creí que no se podía suscribir una póliza a nombre de otra persona sin contar con la firma de ésta.

—Técnicamente eso es verdad; pero se puede hacer.

Me limpié el vino derramado con un pañuelo de papel. Mientras lo hacía se me encendió una de esas bombillas que aparecen en la cabeza de los personajes de las películas de dibujos animados y caí en la cuenta de que aquella mujer detestaba profundamente a Derek.

—Explíquemelo —dije.

—Pues nada, que lo han cogido con los pantalones en los tobillos. El dice que suscribió la póliza hace un siglo, después de que Bobby destrozara el coche un par de veces. Pensó que acabaría autodestruyéndose. Ya se sabe cómo son estos jóvenes, un accidente tras otro y al final al cementerio. Acaba por ser una forma de suicidio socialmente aceptada. Personalmente, no creo que Derek fuera tan previsor. Bobby bebía como una esponja y estoy convencida de que tomaba drogas. Tanto él como Kitty eran un desastre. Ricos, malcriados, caprichosos...

—Tenga cuidado con lo que dice, Sufi. A mí me caía muy bien Bobby Callahan. Creo que tenía voluntad y decisión.

—Sí, todos lo sabemos —dijo. Me hablaba ahora con un tono de superioridad que me sacaba de quicio, pero en aquel momento no me podía permitir el lujo de replicarle. Cruzó las piernas y balanceó un pie. El pelo de la babucha se agitó al chocar contra el aire—. Le guste o no, es la verdad. Y eso no es todo. Parece que Derek suscribió también una póliza a nombre de Kitty.

—¿Por cuánto?

—Medio millón de dólares por cabeza.

—Vamos, Sufi, eso es absurdo. Derek no mataría a su propia hija.

—Que yo sepa, Kitty no ha muerto, ¿verdad?

—Pero ¿por qué iba a matar a Bobby? Tendría que estar loco. Lo primero que hará la policía será cogerlo por banda e investigarlo por los cuatro costados.

—Kinsey —dijo con tranquilidad absoluta—. Nadie ha dicho jamás que Derek tenga dos dedos de frente. Es tonto de remate. Un bobo.

—No hasta ese extremo —dije—. De lo contrario no habría podido planear nada, ni siquiera cómo salir bien librado.

—Es que no hay ninguna prueba de que haya hecho nada. Del primer accidente no se sacó nada en claro, y Jim Fraker, por lo visto, piensa que el segundo se produjo porque Bobby sufrió un ataque. ¿Cómo se va a achacar a Derek una cosa así?

—Pero ¿por qué iba a hacerlo? Tiene mucho dinero.

—Glen es quien lo tiene. Derek no tiene ni un céntimo. Y haría cualquier cosa que le independizara de su mujer. ¿Se percata?

Lo único que pude hacer fue mirarla con fijeza mientras procesaba en mi ordenador mental la información recibida. Tomó otro sorbo de vino y me sonrió, satisfecha del efecto que me había producido.

—No lo creo —dije al cabo de un rato.

—Puede usted creer lo que guste. Lo único que yo le digo es que haría bien en comprobarlo.

—Usted no traga a Derek, ¿verdad que no?

—La verdad es que no. Es el cretino más grande que ha habido en la historia. No sé qué vería Glen en él. Es pobre. Idiota. Vanidoso. Y le menciono sólo sus *buenas* cualidades —dijo con vehemencia—. Por lo demás, es un sujeto cruel e inhumano.

—A mí no me parece cruel e inhumano —dije.

—Usted no lo conoce tanto como yo. Haría cualquier cosa por dinero, y sospecho que ya ha hecho muchas de las que preferiría no hablar. ¿De verdad no le parece a usted un hombre con pasado turbio?

—¿En qué sentido?

—No estoy segura. Pero apostaría lo que fuera a que su estupidez es una especie de coartada.

—¿Insinúa que dio el pego a Glen? Pensaba que era una mujer más inteligente.

—Es inteligente en todo, salvo en lo que se refiere a los hombres. Derek es su tercer marido. Lo sabía, ¿no? El padre de Bobby era un inútil. Al marido número dos no lo conocí. Glen vivía en Europa cuando se casó con él y sólo sé que no duró mucho.

—Volvamos a usted, si no es molestia. El día del entierro de Bobby me dio la sensación de que usted no quería que yo siguiera investigando. Y ahora me da pistas. ¿A qué se debe el cambio?

Estuvo unos instantes toqueteándose el cordón de la bata, aunque no por ello dejó de hablar.

—Pensé que lo único que hacía usted era aumentar el dolor y los quebraderos de cabeza que ya tenía Glen —dijo, alzando los ojos para mirarme en aquel punto—. Ahora está claro que por más que le diga no va a cambiar de idea, así que prefiero contarle lo que sé.

—¿Por qué se veía con Bobby en la playa? ¿Pasaba algo malo?

—¿Qué va a pasar? Nada en absoluto —dijo—. Me lo encontré por casualidad un par de veces y le dio por meterse con Derek. Bobby tampoco lo aguantaba y sabía que yo le daría la razón. Eso es todo.

—¿Y por qué no lo dijo cuando se lo pregunté?

—Porque no tengo por qué darle a usted cuenta de mis actos. Se presenta en mi casa sin que nadie la llame y me bombardea a preguntas. No es asunto suyo, de modo que no tengo por qué responderle. Me da la sensación de que no sabe usted comportarse a veces.

Se me subieron los colores, aunque me lo tenía merecido. Apuré lo que quedaba en el vaso. No acababa de creerme su versión sobre los encuentros con Bobby, pero estaba claro que ya no iba a sonsacarle más cosas y aunque no me hizo ni pizca de gracia, decidí dejarlo estar por el momento. Si se había limitado a escuchar las quejas de Bobby, ¿por qué no lo había dicho a las primeras de cambio?

Un vistazo al reloj me reveló que sólo eran las once pasadas y se me ocurrió la idea de probar fortuna con Glen. Improvisé una disculpa y me fui. Estoy segura de que no lamentó mi partida.

Hay ocasiones en que las cosas empiezan a aclararse por la más pura casualidad. Lo digo porque no quiero atribuirme el mérito de lo que sucedió a continuación. Cuando llegué al Cucaracha me di cuenta de que hacía frío. Subí al vehículo, cerré la puerta, eché el seguro, según tengo por costumbre, me giré y me puse a revolver el atestado asiento trasero, en busca de una camiseta que había dejado allí. Acababa de ponerle las manos encima e iba a sacarla de debajo de un montón de libros cuando oí arrancar un coche. Miré a mi derecha. El Mercedes de Sufi reculaba por el sendero del garaje. Me agaché inmediatamente para que no me viera. No sabía si Sufi conocía mi coche o no, pero tuvo que pensar que ya me había ido porque accedió a la calzada sin más preámbulos. Nada más hacerlo, me instalé ante el volante y busqué las llaves. Encendí el motor, arranqué, hice una rápida maniobra en forma de herradura y aún tuve tiempo de ver sus luces traseras en el momento en que giraba a la derecha, rumbo a State Street.

Era imposible que, en el escaso tiempo transcurrido, se hubiera cambiado de ropa. Como mucho se habría puesto un abrigo o una chaqueta encima de la bata de raso. ¿A quién conocería lo bastante para visitarle por sorpresa a aquella hora y con aquel atuendo a lo Jean Harlow? Ardía en deseos de saberlo.

20

Los ricos de Santa Teresa se dividen en dos círculos: los que viven en Montebello y los que viven en Horton Ravine. En Montebello está el dinero antiguo, en Horton Ravine el reciente. Las dos comunidades poseen hectáreas de bosque, caminos de herradura y clubes deportivo-sociales donde se exige el aval correspondiente y una cuota de admisión que oscila alrededor de los veinticinco billetes. Las dos comunidades están en contra de los templos fundamentalistas, la decoración barata y las ventas a domicilio. Sufi se dirigía a Horton Ravine.

Al cruzar el portalón que da acceso a la Avenida de los Piratas, redujo la velocidad a cincuenta por hora, temiendo quizá que la detuviese la policía con aquella indumentaria de puta telefónica que ha salido a echar una meada. También yo reduje la velocidad, manteniéndome lo más rezagada que pude. No me hacía ninguna gracia seguirla por una carretera que serpeaba a lo largo de varios kilómetros y me llevé una sorpresa porque dobló a la derecha y entró en uno de los primeros caminos vecinales. La casa a que conducía el camino estaba a unos cien metros de la carretera y era el típico «chalecito» californiano de una sola planta: tal vez cinco dormitorios, cuatrocientos metros cuadrados, poco vistoso pero muy caro a pesar de todo. La propiedad tendría en total unas dos hectáreas y estaba rodeada por una valla ornamental de madera, coronada de rosas en toda su longitud. Las luces exteriores estaban encendidas cuando el Mercedes de Sufi llegó ante la casa. Salió del vehículo, mancha de visón y raso melocotón, se dirigió a la puerta principal, ésta se abrió y engulló a la mujer.

Yo ya había dejado la casa atrás. Seguí hasta el cruce siguiente, maniobré para dar la vuelta, apagué los faros y deshice el trecho recorrido. Detuve el coche en el arcén de la izquierda, medio metiéndome entre los arbustos. Como no había farolas, reinaba una oscuridad total. Vi la cerca que señalaba el límite del campo de golf y, en el interior del recinto, la laguna artificial que hacía de obstáculo deportivo. La luna rielaba en la superficie lacustre, asemejándola a una lámina de seda gris.

Cogí la linterna de la guantera, salí del coche y me abrí paso por entre los elevados arbustos que crecían en la cuneta. Estaban húmedos y me mojaban las bambas y las perneras de los tejanos.

Llegué al camino de entrada. No había ningún nombre en el buzón, pero tomé nota del número. Ya consultaría la guía telefónica que tenía en la oficina, en caso de que hiciera falta. Había recorrido ya la mitad del sendero de entrada cuando oí ladrar a un perro en la casa. No supe adivinar la raza, pero se me figuró grande, uno de esos perrazos que saben ladrar a pleno pulmón con rugidos profundos y eficaces que sugieren la contundencia de unos colmillos afilados y muy malas pulgas. Además, el muy cerdo me había olido y estaba deseoso de ponerme las zarpas encima. No podía avanzar más sin alertar a los habitantes de la casa. Probablemente se preguntaban ya por qué el buenazo de Sultán se meaba de impaciencia. Si la intuición no me fallaba, lo soltarían de la cadena para que se lanzase sobre mí como una exhalación, arañando el asfalto del camino con las garras. Ya me habían perseguido perros en otras ocasiones y maldita la gracia que me hacía.

Di media vuelta y regresé al coche. Para un detective privado no es humillante el sentido común. Durante una hora vigilé la casa sin detectar ninguna señal de actividad. Empecé a cansarme y a considerar que se trataba de una pérdida de tiempo. Encendí el motor y arranqué, aunque no encendí los faros hasta haber cruzado el portalón.

Cuando llegué a casa estaba rendida. Tomé unas cuantas notas y me dispuse a meterme en la cama. Faltaba poco para la una cuando por fin apagué la luz.

Me levanté a las seis y corrí cinco kilómetros para despejarme. Hice mis abluciones matinales, cogí una manzana y llegué al despacho a eso de las siete. Estábamos a martes y era un alivio saber que aquel día no tenía que ir al gimnasio. La verdad es que no notaba en el brazo ninguna molestia, aunque puede que el estar metida en una investigación me distrajera de cualquier dolor o impedimento que aún quedase.

No había mensajes en el contestador automático ni correo que hubiera quedado pendiente la víspera. Cogí la guía telefónica y busqué el número de la vivienda de la Avenida de los Piratas. Vaya, vaya. Habría tenido que figurármelo. Fraker, James y Nola. Me pregunté a cuál de los dos había ido a ver Sufi y el porqué de la prisa. Cabía la posibilidad, como es lógico, de que hubiera ido a consultarles a los dos, pero no se me ocurría ningún motivo. ¿Sería Nola la mujer de quien se había enamorado Bobby? Ignoraba qué vínculo podía relacionar al doctor Fraker con todo aquello, pero estaba convencida de que algo pasaba allí.

Cogí el cuaderno de Bobby y llamé al número de Blackman. Me respondió una grabación, una voz de mujer que hablaba igual que el hada madrina de las películas de dibujos animados de Walt Disney. «Sentimos comunicarle que el número marcado no corresponde al prefijo ocho-cero-cinco. Por favor, compruebe el número y vuelva a marcar. Gracias.» Probé con los prefijos de las zonas más cercanas. No hubo suerte. Estuve un buen rato mirando las letras restantes del índice del cuaderno. Si fallaba todo lo demás, no tendría más remedio que llamar a todas las personas consignadas en el cuaderno, aunque la idea me parecía aburrida y no necesariamente eficaz. ¿Qué haría mientras tanto?

Como era demasiado temprano para llamar a nadie, se me ocurrió hacer una visita a Kitty. Estaba aún en el St. Terry y, habida cuenta del horario del hospital, probablemente la habían sacado de la cama al amanecer. Además, hacía días que no la veía y a lo mejor me contaba algo de interés.

El frío de la víspera había desaparecido. El cielo estaba despejado y el sol comenzaba a apretar. Metí el VW en la última plaza que quedaba disponible en el parking y rodeé el edificio para entrar por la puerta principal. Aunque el hospital estaba en plena actividad, no había nadie en el mostrador de información del vestíbulo. La cafetería estaba de bote en bote y por la puerta salían vaharadas irresistibles de cafeína y colesterol. La tienda de los regalos tenía las luces encendidas. Detrás de la caja había una nutrida fila de empleadas que rellenaban facturas como si estuvieran en un gran hotel y se acercase la hora de desalojar las habitaciones no reservadas. El lugar bullía de animación mientras el personal médico se preparaba para afrontar la vida y la muerte, operaciones complicadas, huesos rotos, depresiones nerviosas, sobredosis de drogas... un día normal con sus cientos de casos en que la vida pendía de un hilo. Y entremedias, la sofocante sexualidad clandestina que inspiraban los seriales de la tele.

Subí a la tercera planta y giré a la izquierda al salir del ascensor. Las robustas puertas dobles, como de costumbre, estaban cerradas. Llamé al timbre. Al cabo de unos instantes, una negra gorda enfundada en unos tejanos y una camiseta azul sacudió un manojo de llaves y entreabrió las puertas. Llevaba un cronómetro de capitán de barco y calzaba esos zuecos con suela de caucho de cinco centímetros que se utilizan para compensar los pies planos y las varices. Tenía unos ojos preciosos, de color avellana, y un rostro que irradiaba competencia. Según su chapa de identificación, era Natalie Jacks, Enfermera Titular. Enseñé a la señorita Jacks la fotocopia de mi licencia y le pregunté si podía hablar con Kitty Wenner, añadiendo que era amiga de la familia.

Miró con mucha atención mi carnet y se hizo a un lado para dejarme pasar.

Cerró a mis espaldas y me condujo por un pasillo hasta una habitación que estaba casi al final. Cada vez que veía una puerta entreabierta, echaba un vistazo rápido. No sé qué esperaba encontrar: mujeres que se retorcían las manos y murmuraban para sí, hombres que imitaban a ex presidentes de la nación y a los animales de la selva. O a todos ellos atontados a causa de la medicación, asomando la lengua y con los ojos en blanco. La verdad es que sólo vi caras que se volvían al verme, como si yo fuera una nueva internada, susceptible de ponerse a gritar o de imitar a los pájaros mientras se desgarraba la ropa. No pude ver ninguna diferencia entre ellos y yo y la conclusión fue preocupante.

Kitty estaba despierta y vestida, con el pelo todavía mojado, tras pasar por la ducha. Estaba tendida en la cama, apoyada en las almohadas y con la bandeja del desayuno en la mesita de noche. Llevaba un camisón de seda que le colgaba de los hombros igual que de una percha. Sus pechos no eran más grandes que los botones de un sofá, y sus brazos eran huesos mondos y envueltos en una piel tan fina como un pañuelo de papel. Los ojos se le habían agrandado y hundido, y se le notaban tanto los huesos de la cabeza que parecía una anciana de setenta años. Su foto habría servido para promover publicitariamente la adopción infantil.

—Tienes visita —dijo Natalie.

Los ojos de Kitty se posaron en mí y durante un segundo pude ver que estaba muy asustada. Iba a morirse. Tenía que darse cuenta. La energía se le iba por los poros, igual que el sudor.

Natalie inspeccionó la bandeja del desayuno.

—Sabes que si no comes te meterán en la UCI. Creí que habías hecho un pacto con el doctor Kleinert.

—Pero si he comido —dijo Kitty.

—Bueno, yo no estoy aquí para darte la matraca, pero el doctor Kleinert llegará de un momento a otro. Procura acabar lo que has dejado mientras hablas con tu amiga, ¿quieres? Todos deseamos que te repongas, pequeña. De verdad.

Nos dedicó una ligera sonrisa, salió y entró en la habitación contigua, donde la oímos hablar con otra persona.

La cara de Kitty se había vuelto de color rosa y se esforzaba por contener las lágrimas. Cogió un cigarrillo, lo encendió y ocultó la tos tras la mano huesuda. Cabeceó y esbozó una sonrisa que contenía cierto porcentaje de dulzura.

—Mierda, no puedo creer que haya llegado a esto —dijo, y acto seguido, con ansiedad—: ¿Crees que Glen vendrá a verme?

—No lo sé. Puedo pasar por casa y decírselo, si lo deseas.

—Le ha dado la patada a papá.

—Eso me han dicho.

—Seguramente me echará a mí también.

No pude seguir mirándola. Su deseo de que Glen estuviera allí era tan palpable que me hacía daño a los ojos. Observé la bandeja del desayuno: macedonia de frutas, pan de arándanos, yogur de fresa, copos de cereales surtidos, zumo de naranja y té. No había la menor indicación de que hubiera probado nada.

—¿Te apetece alguna cosa? —me preguntó.

—No, porque entonces le dirás al doctor Kleinert que te lo has comido tú.

Aún tenía fuerzas para ruborizarse y emitir una risa inquieta.

—Pero ¿por qué no comes? —añadí.

Hizo una mueca.

—Es que todo me da asco. Tengo una vecina que sufría anorexia, ¿sabes lo que es? La trajeron aquí y consiguieron que comiera. Ahora parece que está embarazada. Sigue estando como un palillo, pero se le ha hinchado la barriga como si se hubiera tragado una pelota de baloncesto. Es repugnante.

—¿Y qué? Está viva, ¿no?

—No quiero tener ese aspecto. Nada me sabe bien y apenas pruebo bocado me entran ganas de vomitar.

Era absurdo seguir discutiendo y cambié de tema.

—¿Has hablado con tu padre después de que Glen lo echara de casa?

Se encogió de hombros.

—Viene a verme todas las tardes. Se hospeda en el Hotel Edgewater, hasta que encuentre casa.

—¿Te ha contado lo del testamento de Bobby?

—Por encima. Dice que Bobby me ha dejado un montón de dinero. ¿Es verdad? —Hablaba como al borde del desaliento.

—Supongo que sí.

—Pero ¿por qué, por qué lo habrá hecho?

—Puede que se sintiera culpable de tus problemas y quisiera hacer algo bueno por ti. Derek me ha dicho que también ha dejado algún dinero a los padres de Rick. A lo mejor pensó que el dinero te animaría a salir de la mierda en que estás metida, para variar.

—Nunca hice ningún trato con él.

—No creo que su intención fuera hacer un trato.

—No me gusta que me controlen.

—Mira, Kitty, ya has demostrado con creces que no se te puede controlar. Todos nos hemos enterado y hemos aprendido la lección. Pero Bobby te quería.

—Nadie se lo pidió. A veces me portaba mal con él. Y no tenía en cuenta si le perjudicaba o no.

—¿En qué sentido?

—En ninguno. Olvídalo. Ojalá no me hubiera dejado nada. Así me siento mezquina.

—No sé que decir, la verdad —murmuré.

—Mira, yo nunca le pedí nada. —Hablaba como si se defendiera de algo, pero no acababa de entender cuál era su punto de vista.

—¿Qué te atormenta?

—Nada.

—¿Por qué tanta inquietud entonces?

—¡Yo no estoy inquieta! Mierda. ¿Por qué tendría que inquietarme? Lo hizo porque quiso, para sentirse bien, pero no porque el hecho tuviese que ver conmigo.

—*Algo* tendría que ver contigo porque de lo contrario habría legado el dinero a otra persona.

Empezó a mordisquearse la uña del pulgar y se olvidó momentáneamente del cigarrillo que, incrustado en la muesca del cenicero, elevaba hacia el techo una hebra de humo que parecía la señal de un piel roja situado en la cima de una montaña lejana. Se estaba poniendo de mal humor. No sabía por qué la alteraba tanto que le hubieran caído del cielo dos millones de dólares, pero tampoco quería indisponerla conmigo. A mí sólo me interesaba la información. Volví a cambiar de tema.

—¿Qué sabes del seguro de vida que suscribió tu padre a nombre de Bobby? ¿Te ha hablado de ello?

—Sí. Y me sonó extraño. Siempre hace cosas así y luego no entiende que los demás se ofendan. No lo hace con mala intención, al contrario, le parece de lo más lógico. Como Bobby había destrozado el coche un par de veces, papá pensó que si se mataba por lo menos que fuese en provecho de alguien. Supongo que ha sido por eso por lo que Glen lo ha echado de casa.

—Sí, yo también. A ella tuvo que sentarle como un tiro que quisiera beneficiarse con la muerte de Bobby. Por lo que respecta a Glen, es lo peor que pudo ocurrírsele. Además, con la operación de marras, ahora es sospechoso de asesinato.

—¡Mi padre no es capaz de matar a nadie!

—El dice lo mismo de ti.

—Porque es verdad. Yo no tenía ningún motivo para desear la muerte de Bobby. Y él tampoco. Yo ni siquiera sabía lo de la herencia, y, además, no la quiero.

—Puede que el dinero no fuese el motivo —dije—. Es lo que primero se investiga, pero no siempre aclara las cosas.

—Pero tú no crees que lo hiciera mi padre, ¿verdad?

—Aún no tengo una idea muy concreta al respecto. Sigo indagando sobre lo que le sucedía a Bobby y todavía me quedan lagunas que llenar. Salta a la vista que pasaba algo raro, pero no consigo dar con ninguna pista. ¿Qué relación tenía con Sufi? ¿Lo sabes?

Recuperó el cigarrillo y apartó la mirada. Se entretuvo un momento decapitándole la ceniza, le dio una chupada profunda, la última, y lo apagó. Tenía las uñas tan mordisqueadas que las yemas de sus dedos parecían esferas de carne.

Se estaba debatiendo consigo misma. Mantuve la boca cerrada para darle tiempo.

—Sufi era un contacto —dijo al fin, en voz baja—. Se trataba de una investigación, un servicio que Bobby le estaba prestando a otra persona.

—¿A quién?

—No lo sé.

—Era a los Frakers, ¿verdad? Anoche estuve hablando con Sufi y, nada más irme yo, cogió el coche y se fue derecha al domicilio de los Fraker. La visita duró tanto que al final me cansé y me fui a mi casa.

Me miró a los ojos.

—No sé de qué se trataba.

—Pero ¿cómo se metió Bobby en el asunto? ¿Y cuál era el asunto en concreto?

—Lo único que sé es que me dijo que buscaba algo y que había entrado a trabajar en el depósito de cadáveres para poder buscar de noche.

—¿En los archivos médicos, quizá? ¿Algo que se guardaba allí?

La cara volvió a ensombrecérsele y se encogió de hombros.

—Pero Kitty —insistí—, cuando supiste que habían querido matar a Bobby, ¿no lo relacionaste con esa búsqueda?

Se había metido otra vez el pulgar en la boca y se mordisqueaba la uña con toda seriedad. Vi que le cambiaba la dirección de la mirada y me volví. El doctor Kleinert la observaba desde la puerta. Posó los ojos en mí cuando se dio cuenta de que le había visto. La sonrisa que esbozó parecía forzada y no era exactamente de alegría.

—Bien. No sabía que esta mañana estuvieses ocupada —dijo a Kitty. Y a mí, con sequedad—: ¿Qué la ha traído tan temprano a este lugar?

—Me dirigía a casa de Glen y como me quedaba de camino... Trataba de convencer a Kitty para que comiera —dije.

—No hace ninguna falta —dijo con toda naturalidad—. Esta jovencita y yo hemos hecho un pacto. —Consultó la hora con ademán experto, colocándose la esfera del reloj en el dorso de la muñeca antes de que la manga volviera a ocultarlo—. Tendrá usted que disculparnos. Me esperan otros pacientes y tengo el tiempo justo.

—Ya me iba —dije. Miré a Kitty—. Igual te llamo dentro de un rato. Trataré de convencer a Glen de que venga a verte.

—Estupendo —dijo—. Gracias.

Les dije adiós con la mano y abandoné la habitación mientras me preguntaba cuánto tiempo habría estado Kleinert en la puerta y cuánto habría escuchado. Recordé algo que me había dicho Carrie St. Cloud. Bobby, según ella, andaba metido en algo parecido a un chantaje, pero que no tenía nada que ver con la típica extorsión económica. Era otra cosa. «Alguien sabía o tenía algo relacionado con otra persona, amiga de Bobby, y éste trataba de echarle una mano.» Esto era más o menos lo que me había dicho la joven. Si en última instancia se trataba de una exacción, ¿por qué no había acudido a la policía? ¿Y por qué había sido Bobby el encargado de echarle una mano a quien fuera?

Volví al coche y me dirigí a casa de Glen.

21

Eran las nueve pasadas cuando detuve el coche ante la casa. El jardín estaba vacío. La fuentecita lanzaba un chorro de agua de tres metros de altura que caía sobre sí produciendo destellos nevados y esmeraldinos. Una máquina eléctrica de cortar el césped gemía en una de las terrazas de atrás y los aspersores rociaban los helechos gigantes y moteados de sol que bordeaban los senderos de grava. El aire olía a jazmín, a bosque tropical.

Llamé al timbre y me abrió una de las doncellas. Pregunté por Glen y me murmuró algo en español, al tiempo que alzaba los ojos hacia la planta superior. Deduje que Glen estaba arriba.

La puerta de la habitación de Bobby estaba abierta y Glen estaba sentada en uno de los sillones con las manos en el regazo y la cara impasible. Al verme sonrió de un modo casi imperceptible. Parecía agotada, se le habían acentuado las arrugas bajo los ojos. Se había maquillado por encima, pero el maquillaje sólo había conseguido realzarle la palidez de las mejillas. Llevaba un vestido de punto de un rojo demasiado chillón para ella.

—Hola, Kinsey —dijo—. Siéntese.

Lo hice en el otro sillón.

—¿Cómo se encuentra?

—No muy bien. Creo que paso aquí arriba demasiado tiempo. Sin hacer nada. Esperando a Bobby. —Su mirada se encontró con la mía—. No en sentido literal, por supuesto. Soy demasiado cerebral para creer en el retorno de los muertos. Pero creo que hay algo más, algo que no puede desaparecer tan fácilmente. ¿Sabe a qué me refiero?

—No. No del todo.

Se quedó mirando al suelo, como quien consulta con sus voces interiores.

—En parte es un sentimiento de traición, supongo. Yo era una mujer valiente y hacía todo lo que se esperaba de mí. Era una actriz y ahora quiero que se me pague por ello. Pero la única recompensa que me atrae es recuperar a Bobby. Por eso espero. —Paseó la mirada por el cuarto como si estuviera haciendo fotos. A pesar del contenido emocional de sus palabras me parecía demasiado abatida. Decía cosas humanas, pero de un modo mecánico—. ¿Ve eso?

Seguí la dirección de su mirada. En la alfombra blanca aún se distinguían las pisadas de Bobby.

—No quiero que limpien este cuarto —prosiguió—. Sé que es ridículo. No quiero convertirme en una de esas mujeres asustadizas que erigen altares a los muertos y lo conservan todo como estaba. Pero tampoco quiero borrar su presencia. No quiero que desaparezca como si tal cosa. Ni siquiera tengo ganas de revolver sus enseres.

—No hay ninguna necesidad de hacer nada todavía, ¿no cree?

—No. Supongo que no. No sé qué haré con la habitación de todos modos. En la casa hay docenas y todas vacías. Otra cosa sería que tuviese necesidad de transformarla en estudio o en cuarto de costura.

—Lo fundamental es no abandonarse.

—No se preocupe. Sé bastante de esas cosas. El dolor es una enfermedad para la que no hay curación. Lo que me preocupa es que me doy cuenta de que en cierto modo me seduce. Sufro, pero el sufrimiento por lo menos hace que me sienta cerca de él. De tarde en tarde advierto que estoy pensando en otras cosas y me siento culpable. No sufrir se me figura una deslealtad, incluso olvidar por un instante que ha muerto se me figura una deslealtad.

—No sea cruel consigo misma y no sufra más de lo que es justo —dije.

—Es lo que intento hacer poco a poco. Cada día me lamento una pizca menos. Como cuando se quiere dejar el tabaco. Mientras tanto finjo que soy una persona íntegra y cabal; pero no lo soy. Ojalá se me ocurriera algún remedio. Señor, Señor, no debería darle tantas vueltas. Me siento como quien ha sufrido un ataque al corazón o una operación vital. No hago más que hablar de ello, de lo que me ocurre a mí. —Volvió a hacer una pausa, transcurrida la cual pareció recordar que existían la educación y los buenos modales—. ¿Qué ha estado usted haciendo?

—Esta mañana he ido al St. Terry para ver a Kitty.

—¿Sí? —Su expresión delataba una falta de interés total.

—¿No podría usted ir a verla?

—No, nunca. En primer lugar, me da rabia que ella esté viva y Bobby no. Además, me enfurece que Bobby le haya dejado ese montón de dinero. Desde mi punto de vista, es acaparadora, autodestructiva, manipuladora... —Se interrumpió y estuvo en silencio unos instantes—. Disculpe. No quería ser tan impulsiva. Nunca me ha gustado esa chica. Y el que ahora esté en apuros no cambia las cosas. Ella es la única responsable de lo que le ocurre. Pensaba que siempre habría alguien dispuesto a echarle una mano, pero no voy a ser yo. Y Derek no es capaz de hacerlo.

—Me han dicho que se ha ido de casa.

Se removió con inquietud.

—Tuvimos una pelea sonada. No acababa de irse y tuve que llamar a uno de los jardineros. Siento por él un gran desprecio. Me asquea pensar que durante todos estos años ha dormido en mi cama. Y no sé qué es peor, haber suscrito esa póliza asquerosa a nombre de Bobby o que carezca de la menor sensibilidad para darse cuenta de lo vil de su proceder.

—¿Podrá cobrarla?

—El se figura que sí, pero yo tengo intención de impugnarla cláusula por cláusula. Ya he puesto sobre aviso a la compañía de seguros y me he puesto en contacto con un bufete de Los Angeles. Quiero que desaparezca de mi vida. Me trae sin cuidado el precio que tenga que pagar, aunque cuanto menos me robe, mejor. Por suerte firmamos un contrato matrimonial, aunque me ha dicho que lo recusará si yo recuso el cobro de la póliza.

—Se preparan ustedes para una guerra en serio, ¿eh?

Se frotó la frente con cansancio.

—Fue horrible. Llamé a Varden para ver si podía solicitar una orden de embargo contra él. Es una suerte que no hubiera una pistola en la casa, de lo contrario uno de los dos estaría muerto ahora.

Guardé silencio.

Pasado un rato, pareció recuperarse.

—No quería exaltarme tanto. Tiene que parecerle una locura todo lo que le digo. En fin. Ya basta. No creo que haya venido usted para oírme despotricar. ¿Le apetece un café?

—No, gracias. Sólo quería saber cómo se encontraba y ponerla al corriente. Se trata de Bobby, en un noventa por ciento, o sea que si no quiere que hablemos de ello ahora puedo volver en otra ocasión.

—No, no, adelante. Así podré pensar en otra cosa. Quiero que averigüe usted quién lo mató. Creo que es el único consuelo que soy capaz de concebir. ¿Qué ha descubierto hasta ahora?

—No mucho. Estoy reconstruyendo el caso pieza por pieza, pero en el fondo no estoy segura del material que obra en mi poder. Es posible, por ejemplo, que alguien me haya mentido, pero no puedo afirmarlo con certeza porque desconozco la verdad.

—Entiendo.

Titubeé, extrañamente reacia a hacerla partícipe de mis conjeturas. Especular sobre el pasado de Bobby se me antojaba un entrometimiento, y de muy mal gusto ponerme a hablar de los detalles de su vida privada con una mujer que hacía esfuerzos sobrehumanos por superar la conmoción que le había producido su muerte.

—Creo que Bobby estaba liado con una mujer.

—No es una novedad. Recuerdo que yo misma le dije que salía con no sé quién.

—No me refiero a esa mujer. Me refiero a Nola.

Se me quedó mirando de hito en hito, como aguardando la coletilla del chiste.

—No habla usted en serio.

—Por lo que sé, Bobby se veía con una mujer de la que acabó enamorándose. Ese fue el motivo principal de que rompiera con Carrie St. Cloud. Tengo razones para creer que se trataba de Nola Fraker, pero aún debo comprobarlo.

—No me gusta esto. Espero que no sea verdad.

—No sé qué más decirle. A mí me parece que encaja.

—¿No dijo usted el otro día que estaba enamorado de Kitty?

—Puede que «enamorado» no sea la palabra exacta. Creo que la quería mucho. Lo cual no significa que obrase en consecuencia. Ella dice que entre ellos no había nada y me siento inclinada a creerle. Si hubieran tenido una relación sexual, estoy segura de que usted habría sido la primera en saberlo, aunque sólo hubiera sido por el factor sorpresa. Ya sabe usted cómo es Kitty. Está confusa, aún tiene que madurar mucho, y Bobby sabía muy bien cuál era la actitud de usted hacia ella. En cualquier caso, lo que Bobby sintiera por Kitty no habría impedido la intervención de otra mujer.

—Pero Nola está felizmente casada. Ella y Jim han estado aquí docenas de veces. Nunca hubo el menor indicio de que hubiera nada entre ella y Bobby.

—Usted se limita a manifestarme su opinión, Glen, pero así es como ocurren estas cosas. Usted tiene una aventura clandestina. Usted y su amante coinciden en el mismo acontecimiento social y se comportan con educación, con distancia, como si nada hubiera entre ustedes... aunque tampoco hay que exagerar porque llamaría la atención. Se rozan la mano junto a la ponchera, se miran furtivamente de un extremo a otro de la sala. Es un juego muy excitante del que luego, cuando se reencuentran en la cama, se ríen como niños que se la han pegado a los adultos.

—Pero ¿por qué Nola? Es ridículo.

—A mí no me lo parece. Es una mujer hermosa. Puede que se encontraran por casualidad y surgiese el flechazo de pronto. O puede que se estuvieran viendo durante años. Es muy probable que comenzara el verano pasado, porque no creo que Bobby estuviera relacionado a la vez con ella y con Carrie durante mucho tiempo. En ningún momento me pareció el típico galán que tiene dos amantes a la vez.

Le cambió la cara y se me quedó mirando con intranquilidad.

—¿Sí? —dije.

—Es que acabo de recordar algo. Derek y yo estuvimos en Europa este verano. Al volver me di cuenta de que veíamos a los Fraker más que de costumbre, pero no le di importancia. Ya sabe cómo son estas cosas. Se frecuenta a otro matrimonio una temporada y de pronto, sin saber por qué, las visitas se interrumpen durante un tiempo. No puedo creer que Nola me hiciera una cosa así, ni a Jim tampoco. Hace que me sienta como una esposa celosa. Como si me hubieran engañado.

—Vamos, Glen, por favor. Puede que fuera lo mejor que le ocurriera a Bobby en toda su vida. Puede que, en cierto modo, le ayudara a madurar. ¿Quién sabe? Bobby era un buen muchacho. ¿Qué importancia puede tener a estas alturas? —Era vergonzoso, pero no quería que pasara por el ignominioso trance de mentir a propósito de quién había sido Bobby y qué había hecho.

Las mejillas se le habían teñido de rosa. Me miró con frialdad.

—Sé qué quiere decirme. Pero sigo sin comprender por qué me lo dice.

—Porque no es asunto mío ocultarle la verdad.

—Tampoco lo es difundir bulos.

—Sí. Tiene razón. Pero no suelo chismorrear por chismorrear. Cabe la posibilidad de que esta historia esté relacionada con la muerte de Bobby.

—¿De qué modo?

—En seguida se lo digo, pero antes tiene usted que prometerme que no contará nada de esto.

—Pero ¿qué relación hay entre una cosa y otra?

—No escucha usted lo que le digo, Glen. Se lo contaré hasta donde pueda, pero no todo lo que sé; y por favor, no se altere. Si repite usted lo que voy a decirle nos puede poner en peligro a las dos.

Le conté en pocas palabras lo del último mensaje que Bobby me había dejado en el contestador automático y lo del presunto chantaje, cuyos entresijos no acababa yo de comprender. Le oculté la participación de Sufi en el asunto, porque aún no las tenía todas conmigo y temía que Glen tomara cartas en el asunto y cometiera una tontería. En aquellos instantes me parecía tan sensible e inestable como un frasco de nitroglicerina. Podía estallar al menor golpe.

—Necesito su cooperación —le dije al terminar.

—¿Para qué?

—Quiero hablar con Nola. Aún no sé nada con certeza, y si la llamo yo o le hago una visita inesperada, puedo asustarla y echarlo todo a rodar. Me gustaría que la llamase usted, a ver qué averigua.

—¿Cuándo?

—Esta mañana, si es posible.

—¿Y qué quiere que le diga?

—Cuéntele la verdad. Dígale que investigo la muerte de Bobby, que creemos que el verano pasado estuvo viéndose con una mujer y que, como estuvo usted de vacaciones, ha pensado que a lo mejor ella vio a Bobby con alguien. Pregúntele si tiene algún inconveniente en hablar conmigo.

—¿No sospechará? Supondrá inmediatamente que va usted tras ella.

—Bueno, siempre cabe la posibilidad de que esté equivocada. Puede que no sea ella la mujer que buscamos. Es justamente lo que quiero saber. Si es inocente, no pondrá pegas. Si no lo es, dejaremos que maquine una coartada para ponerse a cubierto. No es esto lo que me preocupa. Lo fundamental es que no tendrá agallas para darme con la puerta en las narices, cosa que sucedería sin duda si fuera a verla por mi cuenta y riesgo.

Meditó unos segundos.

—De acuerdo.

Se levantó, se dirigió al teléfono, que estaba en la mesita de noche, y marcó el número de Nola de memoria. Concertó la cita con una habilidad envidiable y no pude por menos de pensar en lo bien que se las apañaría a la hora de recaudar fondos. Nola no pudo estar más simpática y dispuesta a colaborar, y al cabo de quince minutos estaba ya en mi VW, rumbo otra vez a Horton Ravine.

Vi a la luz del día que la mansión de los Fraker estaba pintada de amarillo claro y que el tejado era de tejas planas. Llegué al final del camino y estacioné el vehículo en el parking que había a la izquierda del edificio, junto a un BMW marrón oscuro y un Mercedes plateado. Como no tenía ganas de suicidarme por el momento, antes de salir bajé el cristal de la ventanilla para ver dónde estaba el perro. Sultán, Rintintín o como se llamara resultó ser un gran danés de morros de caucho y bordeados de negro y de los que le chorreaban goterones de saliva. Desde donde me encontraba habría jurado que llevaba al cuello un dogal de clavos. El plato del que comía era un cuenco ancho de aluminio con señales de mordiscos en el borde.

Bajé del coche con precaución. Echó a correr hacia la valla y se puso a ladrarme. Apoyaba las patas traseras en el suelo y las delanteras en la puerta. Tenía el cipote como una salchicha de Frankfurt incrustada en un bollo de aspecto correoso y lo sacudía en mi dirección como un sujeto que saliese de pronto de una cabina telefónica y se abriera la gabardina.

Iba a devolverle la grosería cuando me di cuenta de que Nola acababa de salir al porche, que estaba a mis espaldas.

—No le haga caso —dijo. Llevaba un conjunto distinto del anterior, negro esta vez, y parecía media cabeza más alta que yo a causa de los zapatos de tacón que calzaba.

—Muy simpático el perrito —puntualicé. A todos los que tienen perro les encanta que les digan estas cosas. De paso sabes hasta qué punto se sienten por encima de los demás.

—Gracias. Entre. Tengo que hacer un par de cosas, pero mientras tanto puede usted esperarme en el estudio.

22

La casa de los Fraker parecía desnuda y poco acogedora; suelos de madera oscura y reluciente, paredes blancas, ventanas sin adornos ni cortinas, flores recién cortadas. Los muebles estaban tapizados con tela blanca de algodón, y el estudio al que Nola me hizo pasar estaba forrado de libros. Se disculpó y oí alejarse su taconeo por el pasillo.

No es aconsejable dejarme sola en una habitación. Soy una fisgona recalcitrante y automáticamente me pongo a registrarlo todo. Como a los cinco años me quedé huérfana y a merced de una tía soltera, pasaba mucho tiempo en casa de sus amistades, que por lo general no tenían descendencia. Siempre me decían que jugara en silencio, cosa que conseguía durante los primeros cinco minutos gracias al libro para colorear que mi tía me compraba cada vez que íbamos de visita. Lo malo era que no sabía estarme quieta y los dibujos del libro –niños y niñas jugando con perros y visitando granjas– me parecían siempre una imbecilidad. No me gustaba colorear pollos y cerdos, y poco a poco aprendí el arte de registrar. Así me enteraba de la cara oculta de la vida ajena: los medicamentos del botiquín, los laxantes que se guardaban en el cajón de la mesita de noche, el dinero que se escondía en el fondo del armario, los manuales sexuales y aparatos eróticos que se ocultaban entre el colchón y el somier. Como es lógico, no podía interrogar a mi tía acerca de los exóticos objetos que encontraba porque en teoría yo no sabía nada de su existencia. Llena de fascinación, al final entraba en la cocina, donde los adultos de la época tendían a reunirse para beber whisky y hablar de bobadas (política y deportes) y me quedaba mirando a las mujeres (Bernice, Mildred; los maridos solían llamarse Stanley o Edgar) mientras me preguntaba quién haría qué con el cacharro alargado con pilas en la punta. No era una linterna. Hasta aquí, lo sabía. No tardé en comprender la diferencia, notable en ocasiones, que hay entre la fachada pública y los gustos privados. Así eran las personas ante quienes mi tía me había prohibido decir tacos, a despecho de cómo habláramos en casa. Pensaba que algunas de sus expresiones habituales podían estar en relación con aquellas cosas, pero no había manera de comprobarlo. Así pues, mi educación consistió en aprender las palabras exactas que correspondían a objetos que ya conocía.

Aunque parezca mentira, en el estudio de los Fraker apenas había nada donde esconder objetos. Ni cajones ni rinconeras ni mesitas de servicio con plúteos y anaqueles. Las dos sillas eran de metal con tiras de cuero. La mesita del café era de vidrio y finas patas metálicas, y contenía una bandeja con un juego de garrafa y dos copas de brandy. Ni siquiera había alfombra para echar un vistazo debajo. Pero ¿qué gente vivía allí, Señor? No tuve más remedio que ponerme a inspeccionar las estanterías de los libros para adivinar los gustos y aficiones de sus propietarios.

Las personas suelen conservar los libros encuadernados y tuve ocasión de ver que a Nola le interesaban la decoración de interiores, la alta cocina, la jardinería, el ganchillo y los consejos sobre belleza personal. Sin embargo, me llamaron la atención los dos estantes llenos de libros sobre arquitectura. ¿Qué hacían allí? Estaba claro que ni ella ni el doctor Fraker se dedicaban a proyectar edificios en sus ratos libres. Cogí un volumen enorme que se titulaba *Los valores gráficos en arquitectura* y miré la primera página. El *ex libris* consistía en un gato sentado que contemplaba un pez dentro de una pecera. Debajo se había garabateado el nombre de Dwight Costigan con caligrafía masculina. En el fondo de la memoria me tintineó una campanilla de alarma. ¿No era aquel el arquitecto que había proyectado la casa de Glen? ¿Se trataba de un libro prestado? Miré otros tres volúmenes. Todos ellos eran «de la biblioteca de» Dwight Costigan. Qué raro. ¿Por qué estaban allí?

Oí aproximarse el taconeo de Nola, puse los libros en su sitio, me acerqué a la ventana e hice como si hasta el momento me hubiera dedicado a contemplar el paisaje exterior. Ella entró en el estudio esbozando una sonrisa que aparecía y desaparecía como si tuviera algún cable suelto.

—Siento haberla hecho esperar. Siéntese, por favor.

La verdad es que no había pensado qué hacer para resolver la situación. Siempre que ensayo con antelación estas comedias estoy fabulosa y los demás personajes dicen exactamente lo que quiero que digan. Pero como nadie es perfecto, ni siquiera yo, es absurdo preocuparse por anticipado.

Tomé asiento en una de las sillas de metal, temiendo que se me escapara el culo por entre las tiras de cuero. Ella hizo lo propio en el borde de un pequeño sofá tapizado con algodón blanco y apoyó la mano con elegancia en la superficie de vidrio de la mesita del café, adoptando una actitud que habría sido de serenidad de no ser por las huellas de sudor que dejaba con las yemas de los dedos. La calibré de un vistazo. Esbelta, de piernas largas y con esos pechos que abultan lo que una manzana y que suelen calificarse de perfectos. Llevaba el pelo de un rojo que no se consigue en todas las peluquerías y que le enmarcaba el rostro en una cascada de bucles. Ojos azules, cutis inmaculado. Tenía ese aspecto despejado y sin edad que proporciona la cirugía estética cara, y el conjunto negro que vestía realzaba sus formas lozanas sin caer en la grosería o en la vulgaridad. Se conducía con solemnidad y franqueza, pero a mí todo me parecía una fachada.

—Usted dirá.

Tuve que formarme una opinión en una fracción de segundo. ¿De veras había podido liarse Bobby Callahan con una mujer tan artificial como la que tenía delante? Aunque ¿a quién trataba yo de engañar, copón? ¡Por supuesto que sí!

Le dediqué una sonrisa de quince vatios y apoyé la barbilla en la mano.

—Pues verá usted, Nola, tengo un pequeño problema. ¿Puedo llamarla Nola?

—Desde luego. Glen me ha dicho que investiga usted la muerte de Bobby.

—Así es. La verdad es que Bobby me contrató hace una semana y, como me dio un anticipo, me siento como si estuviera en deuda con él.

—Ya. Pensé que había sucedido algo anormal y que por eso quería usted hacer averiguaciones.

—Es posible. Aún no lo sé.

—Pero ¿no debería encargarse de ello la policía?

—Ya lo hace, ya. Yo practico... bueno, una investigación complementaria; por si la policía se equivoca.

—Bueno, pues a ver si lo resuelven entre unos y otros. Pobre muchacho. Todos lo sentimos mucho por Glen. ¿Y le sonríe a usted la suerte?

—Yo diría que en el fondo sí. Alguien me contó la mitad de la historia y sólo me falta averiguar el resto.

—Puede decirse, en tal caso, que es usted persona eficaz. —Titubeó con mucha elegancia—. ¿Y qué historia es esa?

Creo que en el fondo no tenía ganas de hacerme preguntas, pero se sentía obligada por la naturaleza de la conversación que sosteníamos. Hacía como que cooperaba y en consecuencia tenía que fingir interés por un tema que probablemente habría preferido ignorar.

Estuve un rato en silencio, contemplando la superficie de la mesa. Me pareció que daba verosimilitud a la mentira que estaba a punto de decirle. La miré a los ojos con intensidad efectista.

—Bobby me dijo que estaba enamorado de usted.

—¿De mí?

—Eso me dijo.

Parpadeó. La sonrisa apareció y desapareció.

—Vaya, ha sido una sorpresa. La verdad es que me siento halagada, siempre me pareció un chico agradable, pero ¡por favor!

—A mí no me parece tan sorprendente.

Advertí en su carcajada una asombrosa mezcla de sinceridad e incredulidad.

—¡Por el amor de Dios! Soy una mujer casada. Y doce años mayor que él.

Hostia, sabía restar años a su edad sin detenerse a hacer cálculos mentales ni recurrir a la cuenta de la vieja. Yo no soy tan rápida restando, lo que quiere decir que si no miento en este tema es por pura casualidad.

Esbocé una ligera sonrisa. Aquella mujer me cabreaba y di a mis palabras una entonación mundana y aburrida.

—La edad carece de importancia. Bobby está muerto. Ahora es más viejo que Matusalén. Más viejo que el viejo más viejo del mundo.

Se me quedó mirando, convencida de que me faltaba un tornillo.

—Bueno, tampoco es para ponerse así. Si Bobby Callahan se enamoró de mí, yo no tengo la culpa. En fin, ya me lo ha dicho. El chico estaba por mis huesos. ¿Y qué?

—Pues que estaba *liado* con usted, Nola. Eso es lo que hay. A usted se le enganchó la teta en una exprimidora y el chico la estaba ayudando a soltarse. Al *chico* lo mataron por su culpa, cara de culo. Y ahora vamos a dejarnos de tonterías y a poner las cartas sobre la mesa o llamo al teniente Dolan de Homicidios para que tenga una charla con usted.

—No sé de qué me habla —me espetó. Se puso en pie, pero yo ya había hecho lo mismo y le sujeté la delicada muñeca con tanta brusquedad que sufrió un sobresalto. Dio un tirón y la solté, aunque la mala leche me estaba inflando por dentro como un globo de hidrógeno.

—Se lo advierto, Nola. Es su única posibilidad. O me

cuenta de qué iba la cosa o se va a enterar usted de lo que vale un peine. No me costaría nada. El tiempo de ir a los juzgados y revisar actas, registros, informes de prensa y fichas de la policía, hasta dar con cualquier noticia sobre usted, por pequeña que sea; y averiguar qué es lo que oculta; y ponerla en tal aprieto que durante el resto de su vida lamente no haberlo vomitado todo aquí, ahora, en este preciso instante.

Pisé el freno a tope. En el fondo de mi cerebro oí un ruido como el que hace un paracaídas al abrirse... Flofff. Se trataba de uno de esos momentos extraordinarios en que la memoria automática da un chasquido y emite una información que se concentra ante nosotros como si fuera un prontuario para estudiantes. Tuvo que ser por la adrenalina que me regaba la cabeza porque de la memoria central salió un chorro de datos que se proyectó en la pantalla de mi cerebro con la claridad de una mañana de primavera... no todos los datos, pero sí suficientes.

—Alto ahí. Ya sé quién es usted. Estuvo casada con Dwight Costigan. Sabía que su cara me sonaba de algo. Su foto salió en todos los periódicos.

Se puso pálida.

—Eso no tiene nada que ver con lo otro —dijo.

Me eché a reír, más que nada porque es mi reacción natural cuando recuerdo algo de pronto. Los saltos mentales me producen una pequeña reacción química y me da la risa floja.

—Vamos, vamos —exclamé—. Todo encaja. Aún no sé cómo, pero está claro que es la historia de siempre, ¿verdad?

Volvió a sentarse en el sofá y para mantener el equilibrio apoyó la mano en la superficie vítrea de la mesa. Respiró hondo para tranquilizarse.

—Será mejor que lo olvide —dijo sin mirarme.

—¿Se ha vuelto loca? —dije—. ¿Se le ha estropeado el cerebro de mosquito? Bobby Callahan me contrató porque creía que querían matarle y resultó que era verdad. Ahora está muerto y no puede modificar las cosas, pero yo sí, y si cree usted que voy a retirarme por la puerta de servicio es que no me conoce.

Cabeceó. Le había desaparecido todo rastro de hermosura y lo que quedaba era una pena. Tenía ahora el mismo aspecto que tenemos todos bajo un tubo fluorescente: macilento, agotado y manoseado.

—Le contaré lo que pueda —dijo en voz baja—. Pero le ruego que en cuanto me haya oído abandone la investigación. Se lo digo por su bien. Es cierto. Estuve liada con Bobby. —Hizo una pausa para preparar lo que tenía que decir—. Era una persona maravillosa. De verdad. Yo estaba loca por él. Era muy sencillo, sin complicaciones ni historias pasadas. Era sólo eso, un joven sano y lleno de energía. Señor. Tenía veintitrés años. Sólo con verle la piel, yo... —Se me quedó mirando a los ojos y se interrumpió vencida por la torpeza mientras le iba y venía la sonrisa, esta vez a causa de algún sentimiento que no supe descifrar: de dolor, tal vez de ternura. Me acomodé en la silla con cuidado, temiendo estropear el espíritu del momento.

»A esa edad —continuó— aún creemos que sabemos hacer bien las cosas. Aún creemos que podemos hacer todo lo que queremos. Pensamos que la vida es sencilla, que para cambiarlo todo basta con un par de maniobras. Yo le dije que a mí no me convencía este planteamiento, pero Bobby tenía espíritu de caballero andante. Mi pobre tonto.

Guardó silencio durante un rato.

—¿En qué sentido era tonto? —dije sin perder la calma.

—Bueno, murió por eso, ya lo sabe usted. Y no puede ni figurarse lo culpable que me he sentido... —Se le fue la voz y desvió la mirada.

—Cuénteme el último capítulo. ¿Cómo encaja Dwight en esto? Creo recordar que se lo cargaron, ¿no?

—Dwight era mucho mayor que yo. Cuando nos casamos tenía cuarenta y cinco años y yo veintidós. Fuimos felices. Bueno, hasta cierto punto. El me adoraba y yo le admiraba. Hizo muchas cosas por esta ciudad.

—Proyectó la casa de Glen, ¿no?

—Pues la verdad es que no. Quien trazó los planos originales, allá en los años veinte, fue su padre. Dwight se encargó de restaurarla tiempo después —dijo—. Me apetece un trago. ¿Quiere usted otro?

—Sí, sí, desde luego —dije.

Cogió la garrafa de brandy y le quitó el macizo tapón de vidrio. Apoyó la boca de la garrafa en el borde de una de las copas, pero le temblaban tanto las manos que temí por la suerte de ambos objetos. Le quité la garrafa y le serví una buena ración. Me serví yo otra, aunque a las diez de la mañana no me apetecía ni por asomo. Dio una sacudida circular a la copa y bebimos las dos. Engullí el licor y la boca se me abrió automáticamente como si me hubiera zambullido en una piscina y acabara de salir a la superficie. Aquello era alcohol de verdad, de verdad y del bueno; tanto que no tendría que cepillarme los dientes por lo menos durante un año. Vi que se calmaba respirando hondo un par de veces.

Me esforzaba mientras tanto por recordar los detalles que había publicado la prensa sobre el episodio en que Costigan había perdido la vida. Había sido cinco o seis años antes. Si la memoria no me fallaba, un desconocido había forzado cierta noche la puerta de su casa de Montebello y había matado a tiros a Dwight tras un forcejeo en el dormitorio. Yo estaba en Houston entrevistándome con un cliente y no había seguido con atención el desarrollo de los acontecimientos, pero, que yo supiera, el caso no se había solucionado en su momento y aún estaba pendiente de explicación.

—¿Qué ocurrió? —pregunté.

—No me interrumpa con preguntas. Pedí a Bobby que lo olvidara, pero no me hizo caso y le costó la vida. El pasado es el pasado. Lo hecho hecho está y yo soy la única que paga ahora las consecuencias. Olvídelo. A mí ya no me importa y, si es usted inteligente, tampoco le importará.

—Usted sabe que eso es imposible. Cuénteme qué ocurrió.

—¿Para qué? Las explicaciones no van a cambiar nada.

—Nola, voy a averiguarlo tanto si me lo cuenta como si no. Si me lo cuenta usted con pelos y señales, cabe la posibilidad de que me dé por satisfecha. A lo mejor lo comprendo y me olvido del asunto. Soy persona que se aviene a razones, pero usted tiene que jugar limpio.

Vi la indecisión escrita en sus facciones.

—Dios mío —exclamó, y bajó la cabeza durante unos segundos. Me miró con ansiedad—. Hay un loco por medio. Una persona que no está en sus cabales. Júreme... prométame que se apartará de la investigación.

—Eso no se lo puedo prometer y usted lo sabe. Cuéntemelo todo y ya veremos después qué nos conviene.

—Nunca se lo he contado a nadie. Sólo a Bobby, y ya ve usted lo que le pasó.

—¿Y Sufi? Ella también lo sabe, ¿verdad?

Me miró sin comprender, momentáneamente sobresaltada ante la mención de aquel nombre. Desvió la mirada.

—No, no, en absoluto. Estoy convencida de que no sabe nada. ¿Por qué iba a saberlo? —Me pareció una respuesta demasiado indecisa para resultar convincente, pero lo dejé pasar por el momento. ¿La estaría chantajeando Sufi?

—Bueno, no puede negarse que lo sabe alguien más —dije—. Por lo que sé, a usted la estaban chantajeando y Bobby quiso pararle los pies al chantajista. ¿Cuál es el motivo? ¿Qué tiene esta persona contra usted? ¿En qué se basa?

Guardé silencio durante un rato mientras la veía debatirse con su necesidad de desahogarse. Cuando se decidió a hablar por fin, lo hizo en voz tan baja que tuve que inclinarme para acercar el oído.

—Estuvimos casados casi quince años. Dwight tenía la presión arterial muy alta y los medicamentos que le recetaron le produjeron impotencia. En realidad nunca tuvimos una vida sexual muy activa. Me cansé y busqué... a otra persona.

—Un amante.

Asintió. Había cerrado los ojos como si le hiciera daño recordar.

—Dwight nos descubrió una noche en la cama. Se puso furiosísimo. Fue al estudio a buscar una pistola, volvió y se entabló una pelea.

Oí pasos en el pasillo. Me volví hacia la puerta y ella giró también.

—Por favor —dijo con voz apremiante—, no repita nada de lo que le he dicho.

—Confíe en mí, no diré nada. ¿Qué ocurrió después?

Titubeó.

—Yo maté a Dwight. Fue un accidente, pero mis huellas están en el arma y el arma sigue en poder de cierta persona.

—¿Es eso lo que buscaba Bobby?

Asintió con un movimiento casi imperceptible.

—¿Quién tiene la pistola? —proseguí—. ¿Su ex amante?

Se llevó el dedo a los labios. Llamaron a la puerta y el doctor Fraker asomó la cabeza; al parecer se llevó una sorpresa al verme.

—Ah, hola, Kinsey. ¿Entonces es suyo el coche que hay fuera? Ya me iba, pero me entró curiosidad por saber quién estaba aquí.

—Vine para hablar con Nola acerca de Glen —dije—. Me parece que lo está pasando muy mal y me preguntaba si podríamos turnarnos para hacerle compañía, ahora que Derek se ha marchado.

Cabeceó con pesar.

—El doctor Kleinert me ha contado que Glen lo echó de casa. Es una vergüenza. No es que ese hombre me importe mucho, pero también son ganas de buscarse complicaciones precisamente ahora. Como si no tuviera bastantes.

—Pienso igual que usted —dije—. ¿Le molesta el coche? ¿Quiere que lo mueva?

—No, no, tranquila —dijo. Y mirando a Nola—: Tengo

que ir al hospital, pero no creo que vuelva tarde. ¿Hay algún plan para cenar?

Nola sonrió con simpatía, aunque tuvo que carraspear para responder.

—Cenaremos en casa, si no tienes inconveniente.

—No, claro que no. Bueno, os dejo con vuestras intrigas. Ha sido un placer, Kinsey.

—En realidad ya habíamos terminado —dijo Nola, poniéndose en pie.

—Ah, estupendo —dijo su marido—. Saldremos juntos entonces.

Me di cuenta de que Nola había aprovechado la aparición de Fraker para poner punto final a la conversación, pero no se me ocurrió ninguna treta para quedarme y menos aún con los dos allí de pie y mirándome.

Cambiamos frases de despedida, el doctor Fraker me abrió la puerta y salí del estudio. Al volverme vi la ansiedad pintada en las facciones de Nola y sospeché que aquella mujer no quería compartir su secreto con nadie. Era mucho lo que arriesgaba: libertad, dinero, posición, respetabilidad. Estaba inerme ante cualquiera que supiese lo que yo sabía ahora. Me asombró la fuerza con que se aferraba a lo que tenía, y no pude por menos de preguntarme por el precio que había tenido que pagar por ello.

23

Entré en mi despacho. El correo se había amontonado en el suelo, bajo la ranura del buzón de la puerta. Lo recogí, lo dejé sobre la mesa y abrí el balcón para que entrata un poco de aire fresco. El piloto del contestador automático parpadeaba. Tomé asiento y apreté la tecla de rebobinar la cinta.

El amigo que trabajaba en la compañía telefónica me había llamado para informarme sobre la desconexión del teléfono de S. Blackman, cuyo nombre de pila completo era Sebastian S., varón, de sesenta y seis años; el domicilio postal que había dejado era una calle de Tempe, Arizona. No parecía muy prometedor, pero qué íbamos a hacerle. Si todo lo demás fallaba, siempre podía volver sobre este dato y comprobar si había alguna vinculación con Bobby. No sé por qué, lo dudaba. Lo escribí en su expediente. Poner por escrito la información me daba cierta sensación de seguridad. De este modo, si algo me pasaba, quien me sucediera podría recoger el hilo de mis investigaciones; la idea era escalofriante, pero a juzgar por lo que le había ocurrido a Bobby no carecía de base.

Durante hora y media me dediqué a mirar el correo y poner al día mis libros de contabilidad. Me habían mandado dos cheques y rellené una hoja de ingresos para depositarlos más tarde en el banco. Una minuta que había enviado me la habían devuelto sin abrir y con un sello que decía: «Destinatario desconocido. Devuélvase al remitente», con un dedo grande y morado que me apuntaba. Un moroso, joder.

Me revienta que me tomen el pelo en cuestiones laborales. Además, le había hecho un buen servicio al sujeto aquel. Sabía que era un rácano, pero en ningún momento pensé que se atrevería a escurrir el bulto a la hora de pagarme. Puse a un lado la carta. Ya le seguiría la pista cuando tuviera tiempo.

Ya era casi mediodía y me quedé mirando el teléfono. Tenía que hacer cierta llamada; cogí el auricular y marqué el número antes de que me entraran las cagaleras.

—Jefatura de Policía de Santa Teresa. Agente Collins al habla.

—Quisiera hablar con el sargento Robb, de Personas Desaparecidas.

—Un momento, por favor. En seguida le pongo.

El corazón me latía tan aprisa que se me humedecieron los sobacos.

Había conocido a Jonah mientras investigaba la desaparición de una mujer llamada Elaine Boldt. Era un hombre simpático, de cara agradable, tal vez con diez kilos de más, entretenido, franco, un poco heterodoxo y que, a pesar de estar rigurosamente prohibido, me fotocopiaba algún que otro informe de la sección de homicidios. Durante muchos años había estado casado con la novia de su juventud, ésta le había abandonado hacía doce meses, se había marchado con las dos hijas que tenían y le había dejado solo, con un frigorífico lleno de cenas congeladas que había preparado ella misma. Me caía muy simpático, aunque no me producía ninguna excitación; pero tampoco era precisamente esto lo que yo buscaba. No habíamos tenido ninguna relación amorosa, si bien me había demostrado un poco de sano interés masculino y me sentí algo picada cuando volvió con su mujer. Bueno, la verdad es que me sentí ofendida y desde entonces me mantenía a cierta distancia.

—Robb al habla.

—Hostia —dije—, aún no te he dicho nada y ya estoy hecha un flan.

Le oí titubear.

—¿Eres tú, Kinsey?

Me eché a reír.

—Sí, soy yo, estaba pensando en lo chafada que me siento.

Jonah sabía muy bien a qué me refería.

—No fue nada agradable, lo sé, pequeña. Y he pensado mucho en ti.

Contrapunteé sus palabras murmurando «Ya, ya» en el tono más escéptico que encontré.

—¿Qué tal está Camilla?

Dio un suspiro y me lo imaginé pasándose la mano por el pelo.

—Igual que siempre. Me trata como si fuera un trapo. No sé por qué he vuelto con ella.

—Por lo menos estás otra vez con las niñas, ¿no?

—Sí, es verdad —dijo—. Ultimamente visitamos a un consejero matrimonial. Las niñas no. Yo y Camilla.

—A lo mejor os ayuda.

—A lo mejor no. —Se reprimió y cambió de talante—. En fin. No está bien que me queje. Supongo que soy el único responsable de lo que me ocurre. Pero lamento que al final te afectara a ti también.

—No te preocupes. Ya soy mayor. Además, se me ocurre una forma de redimirte. Te invito a comer a cambio de tus servicios cerebrales.

—Acepto encantado. La hora de la comida es ya lo único que me queda. Así podré paliar mi sentimiento de culpa. ¿Te gusta la palabra «paliar»? Todo el mundo la utiliza y hoy estoy decidido a incorporarla a mi vocabulario. Ayer lo intenté con «ineluctable», pero no hubo forma de meterla en ninguna frase. ¿Dónde te apetece ir? Di tú el sitio.

—Cuanto más sencillo mejor. No quiero perder el tiempo con cremonias.

—¿Te parece bien el juzgado? Llevo unos bocadillos y nos los comemos sentados en el césped.

—Delante de todo el mundo, nada menos. ¿Y si nos ven tus colegas y lo comentan por ahí?

—Mejor. Así se enterará Camilla y volverá a dejarme.

—A las doce y media.

—¿Quieres que te busque algo mientras tanto?

—Buena idea. —Le hice una rápida sinopsis de las circunstancias en que Costigan había muerto, dejando al margen a Nola Fraker. En el último momento había decidido no contárselo todo, le di la versión que ya se había publicado en la prensa y le pregunté si podía echar un vistazo en los archivos.

—Recuerdo el caso por encima. Miraré a ver qué encuentro.

—Si pudieras hacerme otro favor —dije—. ¿Te importaría consultar los Archivos Centrales, por si hay algo sobre una mujer llamada Lila Sams? Añadí que utilizaba también los nombres de Delia Sims y Delilah Sampson, le di la fecha de nacimiento que había copiado del permiso de conducir y la información complementaria de mis notas.

—De acuerdo. Haré lo que pueda. Hasta luego —dijo y colgó.

Se me había ocurrido que si Lila tenía intención de estafar a Henry, bien podía tener una ficha en la brigada criminal. Yo no podía utilizar los Archivos Centrales de la Dirección General de la Policía sin pasar por la burocracia del ministerio. Jonah, en cambio, podía acceder a ellos mediante el ordenador de Jefatura y obtener respuesta en cuestión de minutos. Por lo menos sabría si el instinto me había fallado o no.

Aseé el despacho, cogí los cheques y la hoja de ingreso, cerré con llave y entré en las oficinas de la compañía de seguros La Fidelidad de California, que están junto a mi despacho, para charlar unos minutos con Vera Lipton. Luego me dirigí al banco y como en la cuenta corriente tenía dinero de sobra para cubrir los gastos cotidianos, ingresé casi todo en la libreta.

El día había comenzado con un poco de calor y ahora hervía por los cuatro costados. Las aceras humeaban y las palmeras parecían calcinadas por el sol. Allí donde se habían tapado socavones recientemente, el asfalto era tan blando y granulado como la mermelada de frambuesa.

El Juzgado de Santa Teresa parece un castillo morisco: puertas de madera labradas a mano, minaretes y balcones de hierro forjado. Hay tantos mosaicos de baldosas en las paredes interiores que parecen tapizadas con mantas de cuadros heterogéneos. En una sala de autos hay un mural ciclorámico que representa la fundación de Santa Teresa por los primeros misioneros españoles. Es una especie de versión histórica a lo Walt Disney, ya que el artista ha omitido la introducción de la sífilis y la degeneración de los indios. Yo lo prefiero tal como está, la verdad sea dicha. Concentrarse en la administración de justicia tiene que ser difícil si cada vez que se levanta la vista se ve un montón de indios muertos de hambre y cubiertos de pústulas.

Atajé por el inmenso pasillo abovedado que conduce a los jardines de la parte posterior. Habría unas veinticinco personas esparcidas por el césped, las unas comiendo, las otras dando una cabezada, las restantes tomando el sol. Por entretenerme, me puse a contar y calificar los encantos físicos de un tío cachas que venía hacia mí con una camisa azul claro de manga corta. Comencé la evaluación visual por abajo y fui subiendo. Ajá, caderas interesantes... lástima que vaya vestido... ajá, estómago plano... brazos fuertes. Estaba ya casi a mi altura cuando llegué a la cara y me di cuenta de que era Jonah.

No lo había visto desde junio. El régimen alimenticio y la gimnasia habían hecho milagros en su anatomía. La cara, que yo había calificado de «inofensiva» en el pasado, le había adelgazado de un modo muy atractivo. Llevaba un poco más largo el pelo negro, y como había tomado el sol los ojos azules le chispeaban en un rostro que había adquirido el color del azúcar moreno.

—Qué barbaridad —exclamé, deteniéndome en seco—. Estás fabuloso.

Me sonrió halagado.

—¿Lo dices en serio? Gracias. Al menos he adelgazado diez kilos desde que nos vimos por última vez.

—¿Y cómo lo has hecho? ¿En el gimnasio?

—Bueno, sí, fui una temporadita.

Le miré, me miró y volví a mirarle. Emanaba feromonas como si se hubiera puesto una loción para después de afeitarse al almizcle y noté que la química de mi organismo empezaba a reaccionar. Me sacudí mentalmente la modorra. No era aquello lo que yo quería. Si hay algo peor que un hombre recién separado es un hombre que no acaba de separarse.

—Me dijeron que te habían herido —dijo.

Sólo con un veintidós, apenas un rasguño. Pero además me molieron a palos y eso sí que me dolió. Los hombres desvían la mirada cuando ven esta mierda —dije, pasándome el dedo por el puente de la nariz—. Me la rompieron.

Movido por un impulso, alargó la mano y me la rozó.

—A mí me parece totalmente presentable.

—Gracias —dije—. Aún moqueo mucho.

Hicimos una de esas pausas horrorosas que desde el principio habían caracterizado nuestra relación. Me cambié el bolso de hombro, sólo por hacer algo.

—¿Qué has traído? —dije, señalando la bolsa de papel que llevaba en la mano.

Miró la bolsa.

—Ah, sí. Ya me había olvidado. Bueno... unos bocatas, Pepsi y un par de pasteles.

—Podríamos comer y todo.

Se quedó donde estaba. Cabeceó.

—Kinsey, creo que es la primera vez que te lo digo, pero ¿por qué no mandamos a la mierda la comida y nos agazapamos detrás de aquellos matorrales?

Me eché a reír porque acababa de intuir la materialización de algo cachondo y viscoso que no tengo inconveniente en repetir. Le enlacé el brazo con la muñeca.

—Eres una ricura.

—No me llames ricura.

Descendimos los anchos peldaños de piedra y nos dirigimos al otro extremo de los jardines, donde hay árboles desmelenados que dan sombra. Nos sentamos en la hierba y nos dedicamos a comer. Abrimos las latas de Pepsi, cayeron hojas de lechuga de los bocatas, nos pasamos servilletas de papel y comentamos entre murmullos que todo estaba muy bueno. Al terminar habíamos recuperado un poco la compostura profesional y hablábamos como adultos y no como adolescentes ávidos de sexo.

Metió en la bolsa su lata vacía de Pepsi.

—¿Sabes lo que se rumorea sobre la muerte de Costigan? Hablé con un colega que trabajaba antes en Homicidios y me dijo que desde el principio pensó que había sido la mujer. La situación, los detalles, todo olía mal en aquella historia. Según la mujer, un tipo forzó la entrada, el marido cogió una pistola, te ataco, me defiendo, ¡bumba! Se dispara la pistola y el marido la palma. El intruso sale corriendo y ella llama a la policía, víctima asustada de un intento de robo de lo más casual. En fin, era un asunto feo, pero la mujer se mantuvo firme. Contrató a un abogado hábil y mañoso sin pérdida de tiempo y no dijo esta boca es mía hasta que hizo acto de presencia. Ya sabes cómo son estas cosas. «Lo siento, pero mi cliente no puede responder a esa pregunta.» «Lo siento, pero no permitiré que responda a esa otra.» Nadie creyó una palabra de cuanto dijo la mujer, pero no había pruebas y aguantó con entereza hasta el final. Ni indicios materiales, ni chivatazos, ni arma homicida, ni testigos. Fin de la historia. Espero que no estés trabajando para ella, porque si es así, vas lista.

Negué con la cabeza.

—Investigo la muerte de Bobby Callahan —dije—. Creo que lo mataron y estoy convencida de que su muerte está en relación con el caso Dwigth Costigan. —Le hice un resumen del asunto sin mirarle a los ojos. Nos habíamos tumbado en la hierba y seguían bailoteándome en la cabeza unas fantasías sexuales muy inoportunas. Para olvidarme de ellas le di a la lengua todo lo que pude y le conté detalles que habría podido callar.

—Jodeeeer. Di una sola palabra sobre el asesinato de Costigan y el teniente Dolan te colgará del palo de la bandera —dijo.

—¿Qué has averiguado sobre Lila Sams?

Me enseñó el índice.

—Reservaba lo mejor para el final —dijo—. Introduje su nombre en el ordenador y me salió una biografía completa. Esa mujer tiene una colección de órdenes de búsqueda y captura más larga que tu brazo. Las primeras se remontan a 1968.

—¿Y por qué?

—Por estafa, por adquirir propiedades fraudulentamente, por robo con premeditación y engaño. Ha pasado dinero falso, además. En este momento siguen vigentes seis órdenes de búsqueda contra ella. Espera, míralo tú misma. Te he traído el listado.

Me tendió el impreso y lo cogí. ¿Por qué no salté de alegría ante la idea de tener a Lila en el bote? Pues porque a Henry se le iba a partir el corazón y yo no quería ser la responsable. Leí la hoja por encima.

—¿Puedo quedármela?

—Sí, pero no tiembles de ese modo. Tranquilízate —dijo—. Supongo que conoces su paradero.

Le miré con sonrisa apocada.

—Probablemente está ahora en mi jardín, tomándose un té con hielo —dije— . Mi casero está chiflado por ella y sospecho que ella está a un paso de quitarle todo lo que tiene.

—Habla con Whiteside, de Fraudes y Estafas, y él hará que la detengan.

—Creo que sería conveniente hablar antes con Rosie.

—¿La vieja que está a cargo del tugurio que hay cerca de tu casa? ¿Qué tiene que ver con esto?

—No, nada, que Lila nos cae gorda a las dos. Fue Rosie quien me sugirió la idea de comprobar sus antecedentes, aunque sólo fuera por fastidiar. Queríamos saber de dónde procedía.

—Pues ya lo sabes. ¿Cuál es el problema?

—No lo sé. Creo que no es más que una tontería, pero ya veremos. Lo que no quiero es precipitarme y hacer algo que luego pueda lamentar.

Hubo un momento de silencio y Jonah me tiró de la blusa.

—¿Has estado últimamente en el campo de tiro?

—No voy por allí desde que fuimos juntos aquella vez —dije.

—¿Quieres que volvamos?

—Jonah, no podemos.

—¿Por qué?

—Pues porque parecería que queremos ligar y no sabríamos qué hacer.

—Creí que éramos amigos.

—Y lo somos. Pero no podemos salir juntos.

—¿Por qué no?

—Porque eres un tío cachas y yo soy una listilla —dije con resentimiento.

—Otra vez el tema de Camilla, ¿no?

—Exacto. No tengo intención de entrometerme. Has estado con ella mucho tiempo.

—Escucha, yo sigo pensando que cometí una equivocación. Pude haber ido a otro instituto, ¿no? Séptimo curso. ¿Cómo iba a saber entonces que tomaba una decisión que me las haría pasar putas a los cuarenta?

Me eché a reír.

—La vida es eso, amigo mío. Tuviste que elegir entre ciencias y letras, ¿no? Pudiste ser mecánico, pero preferiste ser policía. ¿Sabes entre qué tuve que elegir yo? Entre psicología infantil y economía doméstica. Las dos me importaban un rábano.

—Ojalá no nos hubiéramos vuelto a ver.

Se me borró la sonrisa de la cara.

—En fin, lo siento. Ha sido culpa mía. —Me di cuenta de que llevábamos demasiado tiempo juntos ya, así que me puse en pie y me sacudí la hierba de los tejanos—. Tengo que irme.

Se levantó también y cambiamos unas frases de despedida. Nos separamos minutos más tarde. Anduve de espaldas unos metros y vi que se dirigía otra vez a la comisaría. Yo puse rumbo al despacho y volví a pensar en Henry Pitts. Me di cuenta en aquel punto de que no tenía sentido hablar con Rosie al respecto. Como es lógico, tendría que comunicar a la policía dónde estaba Lila. Aquella mujer era carne de presidio desde hacía casi veinte años y estaba claro que no iba a reformarse para hacer feliz a Henry en el crepúsculo de su vida. Lo iba a engañar como a un chino y a partirle el corazón de todos modos. Quién la entregara o cómo se la detuviera eran detalles que carecían de importancia. Mejor hacerlo cuanto antes para que no dejara a Henry sin un céntimo.

Había apretado el paso e iba con la cabeza gacha, pero cuando llegué al cruce de Floresta y Anaconda, giré bruscamente a la izquierda y me dirigí a Jefatura.

24

Estuve en Jefatura durante una hora y tres cuartos. La sección de Personas Desaparecidas y la de Fraudes y Estafas se encontraban, por suerte, en puntos diametralmente opuestos y no tuve que preocuparme por la posibilidad de encontrarme otra vez con Jonah. Cuando llegué, Whiteside estaba comiendo, y cuando apareció tuvo que asistir a una reunión de urgencia. Cuando por fin pude contarle lo que pasaba, tuvo que poner una conferencia a un condado del norte de Nuevo México, donde se habían dictado tres órdenes de búsqueda. Mientras esperaba contestación, se puso al habla con el jefe de policía de un pueblo norteño, próximo a San Francisco, para que le confirmara la veracidad de otra orden de búsqueda, ésta sin posibilidad de fianza, que se había dictado en Marin. La quinta orden de búsqueda, dictada en Boise, Idaho, resultó ser por un delito menor y el inspector encargado del caso manifestó que no podía trasladarse a Santa Teresa para detenerla. La sexta orden se había dictado en Twin Falls por motivos no especificados. El tiempo pasaba y Lila Sams seguía en libertad.

A las tres y veinte llamaron desde Marin County para corroborar la orden de búsqueda y captura sin fianza y para comunicar que movilizarían a un agente para que se hiciera cargo de ella en cuanto se les notificase su detención. Tanta generosidad se debía en gran parte a que el agente movilizado estaba de vacaciones en Santa Teresa y no tenía inconveniente en volver a Marin con la detenida. Whiteside me dijo que en cuanto recibiera por télex una copia de la orden mandaría para detenerla al agente que estuviera de servicio en la zona. En realidad no era necesario tener la orden en la mano, pero creo que se había dado cuenta ya de que Lila era muy astuta. Le di la dirección de Moza, la mía y una descripción completa de Lila Sams.

Llegué a casa a eso de las cuatro menos veinte. Henry estaba en el jardín, recostado en una tumbona y rodeado de libros. Nada más aparecer yo por la esquina, levantó la vista del cuaderno tamaño folio que tenía en las manos.

—Ah, eres tú —dijo—. Creí que era Lila. Me dijo que pasaría a despedirse antes de marcharse.

Aquello me cogió por sorpresa.

—¿Se va?

—Bueno, no de manera definitiva. Se va a pasar unos días en Las Cruces, pero espera estar de vuelta hacia el fin de semana. Creo que ha surgido un pequeño problema en relación con ciertos inmuebles que posee y tiene que solucionarlo. Es un fastidio, pero qué le vamos a hacer.

—Pero aún no se ha ido, ¿verdad?

Consultó el reloj.

—Espero que no. Su avión sale a las cinco. Me dijo que tenía que ir a la compañía inmobiliaria y a meter un par de cosas en la maleta. ¿Querías hablar con ella?

Negué con la cabeza, incapaz de decirle todavía lo que no habría más remedio que decirle. Vi que estaba tomando notas para otro crucigrama. En la parte superior de la página había garabateado dos títulos: *Elemental, querido Watson* y *Pesadilla en Holmes Street.*

Cuando advirtió que me fijaba en lo que hacía, sonrió con timidez.

—Es para los entusiastas de Holmes —dijo. Puso a un lado el cuaderno como si le cohibiera que los demás le mirasen mientras trabajaba—. Bueno, ¿qué tal va todo?

Con aquella pasión exclusiva que sentía por las palabras parecía el vivo retrato de la ingenuidad y la inocencia. ¿Cómo podía Lila engañar a un hombre así?

—He averiguado algo y creo que debería usted saberlo —dije. Desdoblé el listado del ordenador y se lo tendí.

Le echó un vistazo rápido.

—¿Qué es?

Parece que fue entonces cuando vio escrito el nombre de Lila porque ya no apartó la mirada de la hoja. Mientras asimilaba los hechos se le fue la animación de la cara. Cuando terminó de leer, hizo un ademán de impotencia. Estuvo un rato en silencio y clavó los ojos en los míos.

—Bueno. Parece que he hecho el tonto, ¿no?

—Vamos, Henry, no diga eso. Yo no creo que haya hecho el tonto, en absoluto. Se arriesgó y ella le proporcionó un poco de felicidad. Si en el último momento se descubre que Lila es una sinvergüenza, usted no tiene la culpa.

Se quedó mirando la hoja de papel como un niño que estuviera aprendiendo a pronunciar las palabras.

—¿Por qué te pusiste a hacer averiguaciones sobre ella?

Tal vez hubiese varias maneras diplomáticas de explicárselo, pero no se me ocurrió ninguna.

—La verdad es que esa mujer me caía mal. Supongo que se me despertaron instintos de protección, en particular cuando me dijo usted que iba a hacer negocios con ella. Pensé que no era trigo limpio y resulta que mi intuición era cierta. No le habrá dado dinero, ¿verdad?

Dobló el listado.

—Esta misma mañana he sacado todo el dinero que tenía en una cuenta.

—¿Cuánto?

—Veinte mil —dijo—. En efectivo. Lila me dijo que los ingresaría en una cuenta en participación con la inmobiliaria. El gerente del banco me advirtió que me lo pensara dos veces, pero me pareció una actitud cobarde y no le hice caso. Ahora veo que tenía razón. —Se había puesto muy serio y yo estaba a punto de llorar.

—Voy a casa de Moza, a impedir que se fugue. ¿Quiere acompañarme?

Negó con la cabeza, con los ojos brillantes. Giré sobre mis talones y me alejé a paso rápido.

Recorrí lo más aprisa que pude la media manzana que había hasta la casa de Moza. Un taxi avanzaba despacio por la calzada mientras el conductor miraba los números de la calle. Los dos llegamos ante la casa de Moza al mismo tiempo. Aparcó junto al bordillo de la acera. Me acerqué al vehículo y miré por la ventanilla del copiloto. En vez de cara, el taxista parecía tener un globo fabricado con piel humana.

—¿Es usted la que ha pedido el taxi?

—Pues sí. Lila Sams.

Consultó la hoja de ruta.

—Exacto. ¿Hay que cargar maletas?

—Bueno, la verdad es que ya no necesito el taxi. Un vecino me ha dicho que me llevará al aeropuerto. Llamé a la compañía, pero supongo que el encargado no ha tenido tiempo de notificárselo. Lo siento.

Me miró con cara de pocos amigos, lanzó un suspiro de mala leche y tachó con mucho aparato la dirección que figuraba en la hoja de ruta. Metió la primera con gesto de cabreo y se alejó cabeceando. Joder, habría hecho carrera en el teatro con aquella actuación.

Crucé el jardín de Moza por un costado y subí los peldaños del porche de dos en dos. Moza estaba en el umbral, sujetando el cancel y mirando con nerviosismo el taxi que se alejaba.

—¿Qué le ha dicho? Era el taxi de Lila. Tiene que ir al aeropuerto.

—No, qué va, a mí me ha dicho que le habían dado mal la dirección. Buscaba a Zollinger, que vive una calle más allá, creo.

—Llamaré a otra compañía. Lila pidió el taxi hace media hora. Va a perder el avión.

—Yo la llevaré —dije—. ¿Está en casa?

—No quiero que cause usted ningún problema, Kinsey. No voy a permitirlo.

—No voy a causar ningún problema —dije. Crucé la sala de estar y entré en el pasillo. La puerta de la habitación de Lila estaba abierta.

El cuarto se había limpiado de objetos personales. El cajón donde Lila había escondido la documentación falsa estaba encima de la cómoda y no había nada en el listón trasero. Lila había dejado la cinta adhesiva hecha una bola, pegada como si fuera un chicle. Junto a la puerta había una maleta cerrada y preparada. Encima de la cama había otra, abierta y a medio llenar, y junto a ella vi un bolso blanco de plástico.

Lila estaba de espaldas a mí, ocupada en sacar un montón de prendas dobladas de un cajón de la cómoda. Llevaba un conjunto informal de poliéster —chaqueta y pantalón— que no le favorecía mucho que digamos. Le hacía un culo que parecía un par de tetas de vaca. Me vio al volverse.

—¡Ay! Me has asustado. Creí que era Moza. ¿Querías algo?

—Me dijeron que se iba y pensé que podía echarle una mano.

Vi el desconcierto en sus ojos. Su brusca partida se debía probablemente al grito de alerta lanzado por sus compinches de Las Cruces, asustados por mi telefonazo de la noche anterior. Tal vez sospechara que había sido yo, pero no lo sabía con certeza. Yo sólo quería entretenerla hasta que llegara la policía. No tenía la menor intención de enfrentarme a ella. Por lo que sabía, aquella mujer era muy capaz de encañonarme de pronto con una Derringer de dos tiros o de echárseme encima en plan kárate senil y dejarme en el sitio de un golpe.

Miró el reloj. Ya eran casi las cuatro. Se tardaba veinte minutos en llegar al aeropuerto, y si no estaba allí hacia las cuatro y media se arriesgaba a perder la plaza. No le quedaban pues más que diez minutos.

—Caramba, caramba —dijo—, ya debería estar aquí el taxi.

Si no llega a tiempo tendré que salir pitando en el último momento. ¿Me podrías llevar tú?

—Por supuesto —dije—. Tengo el coche cerca de aquí. Henry me dijo que pasaría usted por su casa para despedirse de él.

—Naturalmente que lo haré, si tengo tiempo. Es un hombre encantador. —Acabó de guardar la ropa y vi que echaba un vistazo en derredor, por si olvidaba algo.

—¿Ha cogido todo lo del cuarto de baño? ¿El champú? ¿Alguna prenda interior recién lavada?

—Yo creo que sí. Voy a ver. —Pasó por mi lado al salir al pasillo.

Esperé a que cruzara la puerta, me lancé sobre el bolso y lo abrí. En el interior había un abultado sobre de papel de embalar con el nombre de Henry escrito a lápiz en la parte del destinatario. Le quité la goma elástica y revisé el contenido. Dinero. Cerré el bolso y me metí el sobre entre los riñones y la parte trasera de los tejanos. Estaba convencida de que Henry no presentaría ninguna denuncia y me repateaba que sus ahorros acabaran en manos de la policía, etiquetados y clasificados por los siglos de los siglos. Porque nadie sabe cuándo se recuperan estas cosas. Me estaba tapando el bulto del sobre con la camiseta cuando volvió Lila con el champú, el gorro de baño y un frasco de crema para las manos. Los metió en los huecos laterales que quedaban libres, bajó la tapa de la maleta y encajó los dos cierres de un golpe.

—Deje, yo la llevaré —dije. Cogí la maleta de la cama, cogí la otra que había en el suelo y salí al pasillo cargada como una mula. Moza estaba en mitad del corredor, retorciendo con nerviosismo un trapo de cocina imaginario.

—Yo llevaré una —dijo.

—Es igual, ya lo hago yo.

Me dirigí a la puerta con Moza y Lila en la retaguardia. Deseaba con toda mi alma que apareciese la policía de una vez. Las dos mujeres cambiaron frases de despedida. Lila no hacía más que fingir. Se iba. Se iba para siempre. No tenía la menor intención de volver.

Al llegar a la puerta, Moza se adelantó para abrirme el cancel. Un coche patrulla acababa de detenerse ante la casa. Tuve miedo de que Lila lo viese demasiado pronto y escapara por la puerta trasera.

—¿Cogió los zapatos que había debajo de la cama? —pregunté girando a medias la cabeza. Me detuve en el umbral para que no viese la calle.

—Pues ahora mismo no lo sé. Creo que miré y no vi nada —dijo.

—Es probable entonces que los haya cogido —dije.

—Bueno, voy a mirar. —Volvió a toda prisa al dormitorio y dejé las dos maletas en el porche.

Moza, mientras tanto, observaba la calle con desconcierto. Dos agentes de uniforme, un hombre y una mujer, avanzaban por el sendero del jardín, los dos con la cabeza descubierta, los dos con camisa de manga corta. En los últimos tiempos se ha hecho mucho para que la policía de Santa Teresa pierda su imagen autoritaria, pero aquellos dos me parecieron tan amenazadores como siempre. Moza pensaba sin duda qué infracción del código civil habría cometido: no cortar la hierba, poner la tele demasiado alta.

Dejé que charlase un ratito con ellos y fui en busca de Lila, no fuera que viese a los policías y escapara por detrás.

—Lila, acaba de llegar su taxi —dije en voz alta.

—Gracias a Dios —dijo mientras aparecía por el cuarto de estar—. No he visto nada bajo la cama, pero menos mal que he vuelto porque me había dejado el billete encima de la cómoda.

Nada más llegar a la puerta principal me puse detrás de ella. Alzó los ojos y vio a los agentes.

El hombre, según su tarjeta de identificación, se llamaba G. Pettigrew. Era negro, rondaría los treinta años, tenía brazos fuertes y un pecho poderoso. Su compañera, M. Gutiérrez, era casi tan fornida como él.

Los ojos de Pettigrew se posaron en Lila.

—¿Es usted Lila Sams?

—Sí. —Pronunció el monosílabo con perplejidad mientras observaba al policía con ojos inquietos. Me pareció más vieja y achaparrada de pronto.

—¿Tendría la bondad de adelantarse, por favor?

—Naturalmente, pero no sé a qué se debe todo esto. —Fue a abrir el bolso, pero Gutiérrez se lo arrebató y miró el interior por si escondía algún arma.

Pettigrew le dijo que estaba detenida, sacó una tarjeta y le leyó sus derechos. Estoy segura de que el agente había repetido aquellas frases cientos de veces y que no necesitaba la chuleta, pero se sirvió de ella probablemente para que después no hubiera ninguna duda al respecto.

—Dése la vuelta, por favor, de cara a la pared.

Hizo lo que le decían, Gutiérrez la cacheó y le puso las esposas. Lila puso cara de lástima.

—Pero ¿de qué me acusan? No he hecho nada. Es un error. —Su agitación pareció conmover a Moza.

—¿Qué ha ocurrido, agente? —preguntó al hombre—. Esta mujer se hospeda en mi casa, es mi inquilina. No ha hecho nada malo.

—Señora, le agradecería que se hiciese atrás. La señora Sams podrá llamar a un abogado en cuanto lleguemos a Jefatura. —Rozó a Lila con la mano, pero ésta se apartó y se puso a dar gritos agudos.

—¡Socorro! ¡Suéltenme! ¡Socorro!

La dominaron entre los dos, uno a cada lado, y se la llevaron del porche con movimientos categóricos e inapelables, aunque algunos vecinos, atraídos por el alboroto, habían abierto la puerta para ver qué pasaba. Lila se dejaba llevar a rastras mientras giraba la cabeza para mirar a Moza con ojos lastimeros. La metieron en el coche patrulla y tuvieron que doblarle las piernas para cerrar la puerta trasera. Daba la sensación de que se la llevaba la Gestapo y de que nunca más volvería a saberse de ella. Cabeceando, el agente Pettigrew recogió sus maletas, que estaban en mitad del sendero del jardín. Las metió en el portaequipajes.

El vecino de al lado se acercó, quizá para ver qué podía hacer por la detenida, y vi que se ponía a hablar con Pettigrew mientras Gutiérrez llamaba a Jefatura y Lila se debatía, aferrada a la reja que la separaba de los asientos delanteros. Pettigrew se puso por fin al volante, cerró de un portazo y arrancó.

Moza estaba pálida como un sudario y me miró con expresión irritada.

—¡Usted tiene la culpa de todo! ¿Qué se imagina usted, qué se le ha metido en la cabeza? Pobrecita.

Advertí la presencia de Henry a media manzana de distancia. Aunque estaba lejos, vi que tenía la cara embargada por el estupor y la incredulidad, los músculos en tensión.

—Hablaremos más tarde —dije y fui hacia él.

25

No lo vi por ninguna parte cuando llegué a casa. Saqué el sobre y llamé a la puerta trasera. Abrió. Le alargué el sobre, lo cogió y miró el contenido. Me dirigió una mirada analítica, pero ni le dije cómo me había hecho con el sobre ni él me preguntó nada.

—Gracias —dijo.

—Hablaremos después —dije, y volvió a cerrar, pero no sin que antes yo viera lo que tenía en el mostrador de la cocina. Había sacado el tarro del azúcar y abierto un paquete blanquiazul de harina para enfrascarse en lo que mejor sabía hacer mientras el dolor le quemaba por dentro. Me rompía el corazón verle así, pero sabía que era mejor dejarle solo. La situación era de lo más desagradable. Y yo tenía cosas que hacer.

Me encerré en casa, cogí la guía telefónica y me puse a buscar a Kelly Borden. Si Bobby había buscado la pistola en el hospital antiguo, también yo quería tener mi oportunidad y pensaba que Kelly podría decirme por dónde empezar el rastreo. No figuraba en la guía. Busqué los teléfonos del hospital antiguo, pero ya no constaba ninguno y la operadora de información se hizo la sueca, fingiendo que no sabía de qué le hablaba. Además, si Kelly trabajaba en el turno de siete a tres, seguramente se habría ido ya. Joder, cómo estaba la gente. Busqué el número del Hospital de Santa Teresa y llamé al doctor Fraker a través de la centralita. Marcy, su secretaria, me dijo que no estaba «en su mesa» (o sea, que había ido al lavabo), pero que no tardaría en volver. Le expliqué que quería hablar con Kelly Borden y le pregunté si sabía su dirección y su teléfono.

—Pues no sé qué hacer, oye —dijo—. No creo que al doctor Fraker le importe, pero es que no te lo puedo decir sin su consentimiento.

—Bueno, como tengo que hacer un par de cosas, pasaré por ahí. Tardaré unos diez minutos —dije—. Por favor, que el doctor Fraker no se vaya antes de que yo llegue.

Cogí el coche y puse rumbo al St. Terry. Aparcar fue un suplicio y tuve que dejar el coche a tres manzanas de distancia, cosa que me vino bien porque quería pasar por un *drugstore.* Entré por la puerta trasera, siguiendo las rayas policromas que había en el suelo, como si me dirigiese al país del mago de Oz. Llegué por fin a los ascensores y bajé al sótano.

Cuando llegué a Patología, el doctor Fraker había vuelto a marcharse, pero Marcy le había puesto al tanto de mi llegada y él le había dado las indicaciones necesarias para conducirme ante su presencia; «tráigamela», le había dicho, como si yo fuera un paquete postal. Seguí a Marcy por el laboratorio y al final lo encontramos; llevaba la bata verde de cirujano y estaba ante un mostrador de acero inoxidable, provisto de fregadero, trituradora de desperdicios y una báscula colgada del techo. Al parecer estaba a punto de empezar algo y me supo mal interrumpirle.

—No es mi intención molestarle —dije—. Sólo quiero la dirección y el teléfono de Kelly Borden.

—Tome asiento —dijo, señalándome un taburete de madera que estaba en un extremo del mostrador. Y a Marcy—: Por favor, busque los datos que ha pedido Kinsey; le enseñaré algo muy entretenido mientras tanto.

Nada más irse Marcy cogí el taburete y me encaramé en él. Fue entonces cuando empecé a darme cuenta de lo que Fraker estaba haciendo. Llevaba guantes de cirujano y empuñaba un bisturí. En el mostrador vi una bandeja blanca de plástico, de medio litro de capacidad, parecida a las que emplean en las carnicerías para poner los higadillos de pollo. Vació en el mostrador un puñado de órganos que despedían reflejos y se puso a inspeccionarlos con unas pinzas. A pesar de que no quería hacerlo, no podía apartar la mirada de aquel montoncito de carne humana. Durante todo el tiempo que duró la conversación no dejó de cortar trocitos de este o aquel órgano. La boca se me frunció en un rictus de repugnancia.

—¿Qué es eso?

Tenía una expresión amable, impersonal y complacida. Se sirvió de las pinzas para indicarme y tocar uno por uno los fragmentos orgánicos. Me pasó por la cabeza la idea de que podían encogerse al notar su toqueteo, como si fueran babosas vivas, pero ninguno de los pedazos se movió.

—Bueno, según a qué se refiera. Esto es un corazón. Esto un hígado. Pulmón. Bazo. Vesícula biliar. El paciente murió de pronto durante una operación y nadie sabe por qué.

—¿Y usted sí? ¿Sólo con hacer eso?

—Bueno, no siempre, aunque creo que esta vez vamos a encontrar algo interesante —dijo.

Creo que jamás había contemplado la carne cocida con la fascinación con que contemplaba aquella carne cruda. No podía apartar los ojos de los cortes que practicaba ni acababa de hacerme a la idea de que aquellos órganos habían sido partes vivas de un ser humano hasta hacía muy poco. No sé si se dio cuenta de mi estado hipnótico, por lo menos no lo dio a entender, así que procuré aparentar la misma indiferencia de que él hacía alarde.

—¿Qué tiene que ver Kelly Borden con su caso? —dijo.

—No sé si tiene algo que ver —dije—. A veces tengo que hacer consultas que al final no tienen ninguna relación con lo que me interesa. Supongo que es como lo que usted hace: analizar todas las piezas del rompecabezas hasta que se encuentra una teoría general.

—Sospecho que mi actividad es mucho más científica que la suya —observó.

—No lo dudo —dije—. Pero yo juego con ventaja en este caso.

Interrumpió lo que hacía para mirarme por vez primera con interés sincero y auténtico.

—Conocí al hombre cuya muerte investigo —proseguí— y quiero solucionar el caso por motivos personales. Creo que lo mataron y la idea no me hace ninguna gracia. Las enfermedades son neutrales. Los homicidios no.

—Creo que lo que sentía usted por Bobby le impide juzgar objetivamente. En mi opinión, murió por casualidad.

—Es posible. Pero también es posible que acabe convenciendo a los de Homicidios de que murió a consecuencia del intento de asesinato que sufrió hace nueve meses.

—Eso tendrá que demostrarlo —dijo—. Creo que hasta el momento no tiene adónde agarrarse y en eso es en lo que se diferencia su trabajo y el mío. Es muy probable que yo encuentre algo concluyente aquí, sin necesidad de abandonar esta sala.

—Le envidio por eso —dije—. Mire, yo no dudo de que Bobby murió asesinado; pero no sé quién lo hizo y puede que nunca encuentre ninguna prueba al respecto.

—Mi método, en ese caso, es infinitamente más seguro —dijo—. Casi todo mi trabajo se basa en datos comprobados. A veces me estanco, sí, pero muy de tarde en tarde.

—Es usted afortunado.

Volvió Marcy y me entregó un papel con la dirección y el teléfono de Kelly.

—Prefiero creer que soy inteligente —replicó Fraker con ironía—. Pero no quiero entretenerla más. Téngame al tanto de lo que averigüe.

—De acuerdo. Y gracias —dije, agitando el papel.

Eran las cinco en punto. Vi un teléfono público en un recodo del pasillo y marqué el número de Kelly.

Contestó al tercer timbrazo. Me identifiqué y le recordé que nos había presentado el doctor Fraker.

—Sé quién eres.

—¿Podría pasar por tu casa? Quisiera hablar contigo porque tengo que hacer una comprobación.

Me pareció que titubeaba.

—Sí, desde luego. ¿Sabes dónde vivo?

Vivía en el sector occidental de la ciudad, no muy lejos del St. Terry. Cogí el coche, entré en la calle Castle y me detuve ante una casa de madera, de dos viviendas. Anduve por el largo sendero del jardín hasta un pequeño cobertizo situado en la parte trasera de la casa. Por lo visto, su habitáculo también había sido un garaje en otra época. Al rodear unos matorrales lo vi sentado a la puerta de su vivienda, fumándose un canuto. Estaba descalzo y llevaba unos tejanos y una camisa a cuadros debajo de un chaleco de cuero. Lucía la misma coleta que ya le había visto, aunque la barba y el bigote se me antojaron más grises de lo que yo recordaba. Habría jurado que estaba colocadísimo, de no ser por sus ojos, de color aguamarina, que me resultaron insondables. Me pasó el porro, pero lo rechacé con un cabeceo.

—¿No te vi en el entierro de Bobby? —pregunté.

—Tú sabrás. Yo sí te vi a ti. —Sus ojos se posaron en los míos con una expresión que me desconcertó. ¿Dónde había visto yo antes aquel color? En una piscina donde flotaba un cadáver igual que un nenúfar. Había sido cuatro años antes, en el curso de una de mis primeras investigaciones.

—Siéntate ahí si es que tienes tiempo para sentarte. —Pronunció las dos frase seguidas, sin respirar, conteniendo el humo de la droga en los pulmones.

Miré a mi alrededor y vi una silla plegable, de madera, vieja ya, que arrastré hasta la puerta. Saqué del bolso el cuaderno de direcciones y le enseñé lo que había escrito en la parte interior de la cubierta trasera.

—¿Sabes de quién puede ser? No es un teléfono de aquí.

Miró el número escrito a lápiz y me dirigió una mirada rápida.

—¿Has probado a llamar?

—Claro. También llamé al único Blackman que hay en la guía. Tiene el teléfono desconectado. ¿Por qué? ¿Sabes de quién se trata?

—El número me suena, pero no es un teléfono. Lo que pasa es que Bobby no puso el guión.

—¿Qué guión? No entiendo.

—Las dos primeras cifras corresponden al Hospital Provincial de Santa Teresa. Las cinco últimas son el código de depósito de cadáveres. Es el número de identificación de un cadáver que tenemos almacenado. Ya te conté que tenemos un par desde hace años. El tuyo se llama Franklin.

—Pero ¿por qué pone aquí Blackman?

Me sonrió y dio una chupada larga al canuto antes de contestar.

—Blackman significa «negro», ¿no? Franklin es de raza negra. Una broma de Bobby, seguramente.

—¿Estás seguro?

—Totalmente. Si no me crees, compruébalo tú misma.

—Creo que Bobby buscaba una pistola en el hospital antiguo. ¿Se te ocurre por dónde pudo haber empezado la búsqueda?

—No. El hospital es muy grande. Tiene que haber unas ochenta o noventa habitaciones que nadie utiliza desde hace años. Pudo empezar por cualquier sitio. Probablemente aprovecharía el turno que tuviese. Mientras nadie le echara en falta, tenía el edificio entero a su disposición.

—Bien. Supongo que tendré que hacer lo mismo, sólo que a marchas forzadas. Gracias por tu cooperación.

—A mandar.

Volví al despacho. Kelly Borden me había dicho que un joven llamado Alfie Leadbetter estaría en el depósito, en el turno de tres a once. Era amigo suyo y me dijo que le llamaría antes para decirle que iba a ir yo.

Cogí la máquina de escribir y puse en limpio algunas notas. ¿Qué pasaba allí? ¿Qué tenía que ver el cadáver de un negro con el asesinato de Dwight Costigan y con el chantaje sufrido por la que había sido su mujer?

Sonó el teléfono y lo cogí como una autómata, totalmente concentrada en aquel asunto.

—¿Sí?

—¿Kinsey?

—Yo misma.

—Pensé que era otra persona. Soy Jonah. ¿Siempre respondes así?

Presté atención.

—Disculpa, chico. ¿Qué puedo hacer por ti?

—Me he enterado de algo y pensé que podía interesarte. ¿Recuerdas el accidente aquel de Callahan?

—Desde luego. ¿Qué has sabido?

—He estado hablando con el tipo que trabaja en Tráfico y me ha dicho que los del laboratorio han revisado el coche esta misma tarde. Los cables del freno se cortaron con un tajo limpísimo. Han pasado el asunto a Homicidios.

Vi el mismo relámpago en dos tiempos que había visto mentalmente hacía apenas unos minutos, al enterarme por fin de lo que significaba el apellido Blackman.

—¿Qué has dicho?

—Que a tu amigo Bobby Callahan lo mataron —dijo Jonah sin impacientarse—. Los cables del freno se habían cortado, lo que significa que se salió todo el líquido, lo que significa a su vez que chocó contra un árbol porque no pudo frenar al tomar la curva.

—Creía que la autopsia había puesto de manifiesto que se trataba de un ataque.

—Puede que lo sufriera al darse cuenta de lo que pasaba. Que yo sepa, una cosa no contradice la otra.

—Sí, tienes razón. —Durante unos segundos me limité a dar resoplidos en el oído de Jonah—. ¿Cuánto se tarda?

—¿En qué? ¿En cortar los cables del freno o en esperar a que se salga todo el líquido?

—Bueno, ahora que lo dices, las dos cosas.

—En cortar los cables, supongo que unos cinco minutos. No es complicado, si sabes dónde están. Lo otro, depende. Probablemente estuvo un rato al volante y pisaría el freno un par de veces. Puede que lo pisara por tercera vez, pero antes de que se diera cuenta de lo que pasaba, bumba, el hostión y al carajo.

—Por lo tanto, quien lo hiciese tuvo que hacerlo aquella misma noche, ¿no?

—Por fuerza. Callahan no habría podido ir muy lejos.

Guardé silencio mientras pensaba en el mensaje que me había dejado Bobby en el contestador automático. Aquella noche había visto a Kleinert. Además, recordaba que Kleinert me lo había comentado.

—¿Sigues ahí?

—Estoy hecha un lío, Jonah —dije—. El caso empieza a resolverse y yo sigo sin saber qué pasa.

—¿Quieres que vaya a verte y lo discutimos?

—No, aún no. Ahora prefiero estar sola. Te llamaré en otro momento, cuando sepa algo más.

—De acuerdo. Sabes el número de mi casa, ¿no?

—Repítemelo —dije y tomé nota.

—Júrame —dijo— que no cometerás ninguna tontería.

—Pero ¿cómo quieres que sepa si cometo o no una tontería? —dije—. Ni siquiera sé qué es lo que ocurre. Además, las tonterías son tonterías después de cometerlas. Yo siempre creo que es inteligente todo lo que se me ocurre.

—Vete al cuerno, sabes muy bien a qué me refiero.

Me eché a reír.

—Tienes razón. Lo sé. En serio, te llamaré si pasa algo. Mi principal objetivo en la vida es tener el culo a cubierto, de verdad.

—Está bien —dijo de mala gana—. Me tranquiliza oírtelo decir, pero no te creo.

Nos despedimos, colgó y me quedé con la mano en el auricular.

Marqué el número de Glen. Me pareció que tenía derecho a conocer las últimas noticias, y no estaba segura de que la policía tuviese interés en ponerla al corriente, sobre todo porque por el momento estaban tan capacitados como yo para dar explicaciones.

Se puso al habla y le conté cómo estaban las cosas, sin omitir lo del apellido Blackman que figuraba en el cuaderno de Bobby. No tuve más remedio que detallarle lo que sabía acerca del chantaje. Hostia, ¿y por qué no? No era momento de guardar secretos. Glen sabía ya que Nola y Bobby eran amantes. Del mismo modo podía comprender lo que Bobby había hecho por ayudar a Nola. Incluso me tomé la libertad de decirle que Sufi estaba por medio, aunque aún no estaba segura. Sospechaba que había sido una especie de intermediaria que había pasado mensajes de uno y otro, y que quizás había dado consejos a Bobby en los momentos en que la impaciencia juvenil entraba en conflicto con la pasión.

Estuvo callada durante un momento, igual que yo al hablar con Jonah.

–¿Qué va a pasar ahora?

–Hablaré mañana con los de Homicidios y les contaré todo lo que sé. Entonces podrán encargarse del caso.

–Tenga cuidado mientras –dijo.

–No se preocupe.

[illegible] cuerpo y me [illegible]
[illegible]

Mientras [illegible] la Casa [illegible] conocer [illegible] policía [illegible] por el [illegible]

[illegible] del baño y [illegible] como estaban las cosas, [illegible] que [illegible] más [illegible] del [illegible] que [illegible]. Hola [illegible] por qué no [illegible] Zooby [illegible]. Del mismo modo podía comprender lo que Sashy había hecho por ayudar a Hola. [illegible] que Sashy [illegible]

[illegible]

y cuando [illegible] cosas [illegible] Zooby [illegible]

Estuvo callado durante un momento, [illegible]

—¿Quieres [illegible] ahora?

—El [illegible] de [illegible]

—[illegible]

—No [illegible].

26

Aún faltaba hora y media para que anocheciera cuando llegué al complejo médico del hospital antiguo. Por el número de plazas libres que había en el parking deduje que casi todas las dependencias se habían cerrado ya y que el personal no volvería hasta el día siguiente. Kelly me había dicho que existía otro parking a un costado y que lo utilizaba el personal nocturno y de servicio. Yo no tenía ninguna necesidad de dejar el coche tan lejos. Lo aparqué lo más cerca que pude de la puerta principal, y advertí con curiosidad que a mi izquierda había una bicicleta encadenada a un poste. Era una antigua Schwinn, abollada, con los neumáticos deshinchados y matrícula falsa, sujeta con alambres al guardabarros trasero, que decía «Alfie». Kelly me había dicho que el edificio solía cerrarse a eso de las siete, pero que si llamaba por el interfono, Alfie no tendría inconveniente en dejarme pasar.

Cogí la linterna y las ganzúas e hice un alto en las operaciones para ponerme un jersey encima de la camiseta. Recordaba el frío que hacía dentro y que no haría más que aumentar a medida que avanzara la noche. Cerré el coche con llave y me encaminé hacia la entrada principal.

Me detuve ante las puertas dobles y pulsé un timbre que había a mi derecha. Zumbó la cerradura al cabo de un instante, se abrió el pestillo y entré. Las sombras se amontonaban en el vestíbulo y recordé por encima una película futurista en que aparecía una estación abandonada. El vestíbulo tenía su misma elegancia clásica: suelos de mármol con incrustaciones, techos altos y una ebanistería preciosa de roble pulimentado. Los escasos apliques que quedaban tenían que datar de los años veinte, cuando se construyó el edificio.

Crucé el vestíbulo y eché un vistazo al directorio de la pared al pasar por delante. Hubo un nombre que me llamó la atención de manera casi inconsciente. Me detuve y volví a mirar. Leo Kleinert tenía un despacho en el edificio, cosa de la que no me había percatado antes. ¿Se desplazaba tanto Bobby para sus sesiones psiquiátricas semanales? Me pareció un poco absurdo. Al bajar al sótano, las baldosas de los peldaños crujieron bajo mis pies. Al igual que la vez anterior, noté que la temperatura descendía de golpe, como si me sumergiera en las aguas de un lago. También estaba más oscuro, aunque vi luz tras la puerta de vidrio del depósito, un rectángulo iluminado que destacaba en las crecientes tinieblas del pasillo. Miré la hora. Ni siquiera eran las siete y cuarto.

Di unos golpecitos en el cristal, por guardar las formalidades, y tanteé el tirador. No habían echado la llave. Abrí y asomé la cabeza.

—¿Hay alguien?

No había nadie a la vista, pero ya había pasado por aquella experiencia al visitar el centro con el doctor Fraker. Alfie podía encontrarse en la cámara frigorífica, donde se guardaban los cadáveres.

—¡Eeeeeh! ¿Hay alguien?

Ninguna respuesta. Me había abierto la puerta, o sea que en algún sitio tenía que estar.

Cerré a mis espaldas. Los tubos fluorescentes emitían una luz molesta, como el sol en un día de invierno. Vi una puerta a mi izquierda. Me acerqué, llamé, la abrí y vi un despacho vacío, amueblado con un sofá marrón de fibra artificial. Puede que el del turno de noche diera allí alguna cabezada cuando no tenía nada mejor que hacer. También había un escritorio y una silla giratoria. La ventana estaba protegida por fuera por una reja de hierro forjado, ante la que los densos arbustos se apelotonaban, impidiendo el paso de la luz diurna. Cerré la puerta y avancé hacia la cámara frigorífica, la abrí y eché un vistazo.

Alfie tampoco estaba allí. A la uniforme luz interior, los ocupantes del lugar yacían en sus literas de fibra vítrea azul, sumidos en un sopor inmóvil y eterno, los unos tapados con sábanas, los otros con plástico, con el cuello y los tobillos envueltos en unas vendas que parecían cinta adhesiva. No sé por qué, me recordó la hora de la siesta en un campamento de verano.

Volví a la sala principal y estuve un rato sentada y contemplando la mesa de las autopsias. Lo normal en mí habría sido registrar todos los cajones, armarios y cajas, pero me pareció una falta de respeto, dado el lugar. O a lo mejor es que tenía miedo de tropezar con algo macabro: bandejas rebosantes de dientes, tarros herméticos llenos de ojos flotando. En fin, cualquier cosa. Me removí con inquietud. Me dije que estaba perdiendo el tiempo. Fui a la puerta, me asomé al pasillo e incliné la cabeza en actitud de quien escucha. Nada.

—¿Alfie? —dije en voz alta. Agucé el oído otra vez, me encogí de hombros y cerré la puerta. Pensé entonces que, ya que estaba allí, por lo menos podía comprobar si el número apuntado por Bobby era el mismo que figuraba en la etiqueta del pie de Franklin. A nadie iba a hacer ningún daño. Saqué el cuaderno del bolso y lo abrí por la cubierta trasera. Volví a la cámara frigorífica y fui de un cadáver a otro, mirando las etiquetas de identificación que les colgaban del pie. Era como estar en el sótano de las rebajas, pero sin rebajas.

Al llegar al tercer cadáver vi que coincidían los números. Kelly tenía razón. Bobby había omitido el guión, y el código identificador de siete cifras parecía un número de teléfono. Me quedé mirando el cadáver; bueno, lo que se veía de él. Franklin estaba envuelto en un plástico transparente, aunque algo amarillento, como manchado de nicotina. Vi a través del mismo que era un negro cuarentón, de estatura media, delgado y con una cara marmórea. ¿Por qué tenía importancia aquel cadáver? Empezaba a ponerme nerviosa. Alfie no tardaría en aparecer y no me apetecía que me pillara husmeando en el frigorífico. Volví a la silla de la sala principal.

Abandonar el almacén fue como salir de un cine refrigerado. La sala de autopsias se me antojó una playa tropical en comparación con la cámara frigorífica. Comenzaba a reconcomerme el prurito escudriñador. No podía evitarlo. Me irritaba que no hubiera nadie para echarme una mano y la inmovilidad me crispaba los nervios. No era un lugar de entretenimiento. No suelo pasearme por los depósitos de cadáveres cuando no tengo nada que hacer y el sitio me ponía en tensión.

Me puse a registrar un cajón para calmar el gusanillo y para comprobar que el contenido no tenía nada que ver con las lúgubres imágenes que antes había conjurado. El cajón contenía cuadernos de notas, formularios en blanco y artículos varios de oficina. Ya más tranquila, me puse a registrar el siguiente, que contenía ampollas de distintos productos farmacéuticos, de nombre desconocido para mí. Para entrar en calor de una vez, registré también los restantes. Todo parecía relacionado con la disección de cadáveres; dado el lugar, era lógico, aunque no revelador.

Me enderecé y eché un vistazo general a la sala. ¿Dónde estarían los ficheros? ¿Nadie archivaba nada en aquel centro? Alguien me había dicho que se guardaban los gráficos allí, pero ¿dónde? ¿En el sótano? ¿En alguna planta superior? No me hacía ninguna gracia recorrer sola aquel edificio vacío. Me había hecho a la idea de que Alfie Leadbetter me acompañaría y me iría diciendo a qué podía acceder y por dónde podía empezar la búsqueda. Incluso había acariciado la fantasía de sobornarle con un billete de veinte dólares, si tal era el precio de su ayuda.

Miré el reloj. Llevaba ya cuarenta y cinco minutos allí

y quería resultados tangibles. Cogí el bolso y salí al pasillo, mirando en ambas direcciones. Había oscurecido mucho, aunque a través de una ventana situada al final del pasillo vi que aún no había anochecido del todo. Vi un conmutador de pared, encendí las luces y seguí andando por el pasillo, mientras leía el rótulo blanco de la puerta de cada despacho. Las oficinas de radiología estaban a la derecha del depósito. Más allá, Medicina Nuclear y la sección de enfermeras. Me pregunté si Sufi Daniels habría estado allí alguna vez.

Algo empezó a removérseme en el fondo del cerebro. Pensaba en la caja de cartón con las pertenencias de Bobby. ¿Qué había en ella? Textos médicos, artículos de oficina y dos manuales de radiología. ¿Para qué los querría? Bobby ni siquiera se había matriculado en la facultad de medicina y no alcanzaba a adivinar para qué necesitaría unos manuales que hablaban de unos aparatos que tal vez no hubiese utilizado hasta un lustro después; en el caso de que alguna vez los hubiese utilizado. Además, no había dado muestras de que la radiología le interesara particularmente.

Subí a la planta baja. A nadie iba a molestar si echaba otra miradita a la caja. Al llegar a la puerta, me quité el jersey y obstruí el mecanismo de cierre. Podía abrir sin problemas, pero no quería que la puerta se cerrase cuando saliera. Me dirigí al coche, lo abrí y saqué la caja del asiento trasero. Cogí los dos libros sobre radiología y los miré por encima. Eran manuales técnicos para el manejo de aparatos concretos, con información sobre contadores, cuadrantes y conmutadores, y mucha palabrería esotérica sobre exposiciones, *rads* y *röntgens.* En la parte superior de una página había un número a lápiz, una especie de garabato hecho por distracción y rodeado de florituras. Otra vez Franklin. Ver aquel código de siete cifras que ya conocía se me antojaba irreal, un fenómeno de ultratumba, como oír la voz de Bobby en el contestador automático cinco días después de su muerte.

Dejé la caja en el asiento delantero, me puse los dos manuales bajo el brazo y volví a cerrar el coche. Regresé despacio al edificio. Crucé la puerta y me detuve para ponerme el jersey. Ya que estaba en la planta baja, quise revisarla por encima. Estaba convencida de que tenía que buscar en los archivos, de que la pistola se encontraba en el fondo de algún armario atestado de gráficos antiguos. El hospital había tenido antaño mucha actividad y en alguna parte tenía que haber unos archivos. ¿En qué otro sitio se podían guardar los gráficos que ya no servían? Si no me fallaba la memoria, los archivos del St. Terry estaban más bien hacia el centro del edificio, para que los médicos y demás personal autorizado accedieran a ellos con facilidad.

En aquella planta no eran muchos los despachos que parecían activos. Me puse a probar puertas al azar. Casi todas estaban cerradas con llave. Doblé al llegar al final del pasillo y entonces lo vi: «Archivos Médicos»; el rótulo, pintado en su momento y ahora medio borrado, destacaba encima de un juego de puertas dobles. Caí en la cuenta de que muchos departamentos antiguos se indicaban de manera parecida, con una especie de pergamino pintado, en el que figuraba el nombre correspondiente con caligrafía barroca, como en la época de los conquistadores españoles.

Tanteé el tirador, pensando que no tendría más remedio que recurrir a las ganzúas. Pero no fue así y la puerta se abrió con un chirrido grave que habría podido salir de los aparatos de un encargado de efectos especiales. La agonizante luz del día se filtraba hasta el interior. Fue como si la habitación bostezara en mis narices, desierta, totalmente vacía. Ni ficheros metálicos, ni muebles, ni siquiera apliques de pared. En el suelo había un paquete de cigarrillos arrugado, unas tablas sueltas y un par de clavos doblados. El departamento se había desmantelado en el sentido más literal de la palabra y sólo Dios sabía dónde se encontraban ahora los archivos antiguos. Cabía la posibilidad de que estuvieran en alguna planta superior, pero no me apetecía subir sola. Había prometido a Jonah que no cometería imprudencias y en este sentido procuraba comportarme como una buena *scout.* Además, había otra cosa que me estaba importunando.

Volví a las escaleras y bajé al sótano. ¿Qué vocecita era la que me murmuraba en el fondo del cerebro? Era como cuando el vecino tiene puesto el transistor. Sólo captaba frases aisladas de vez en cuando.

Me dirigí otra vez a radiología y tanteé el tirador de la puerta. Cerrada con llave. Saqué el juego de ganzúas y estuve hurgando un rato con ellas. Se trataba de una de esas cerraduras «a prueba de ladrones» que, aunque *pueden* abrirse con ganzúa, cuestan lo suyo. Pero quería ver qué gato se encerraba allí, de modo que me armé de paciencia. Las ganzúas que tenía en la mano se caracterizaban por tener una serie de muescas distanciadas entre sí y de profundidad variable; la parte trasera de cada diente trazaba una curva. Con un suave movimiento de frotación, había que levantar todas las lengüetas para que el rotor pudiese girar y mover el pestillo.

Estas cosas se solucionan como el estreñimiento, empleándose a fondo. A mí, entre que empujaba la ganzúa, la giraba y la apretaba hacia donde notaba que cedían las lengüetas, me costó unos veinte minutos. Pero, oh milagro, al final cedió la cabrona y lancé una exclamación de alegría. «Guau, soy genial.» Si no fuera por estas experiencias, mi trabajo sería un aburrimiento. Era ilegal lo que hacía, pero ¿quién iba a chivarse?

Entré en el departamento. Encendí la bombilla que pendía del techo. Parecía una oficina normal y corriente. Máquinas de escribir, teléfonos, archivadores metálicos, plantas en los escritorios, cuadros en las paredes. Había un pequeño espacio de recepción donde supuse que esperarían los pacientes hasta que les tocase el turno de recibir el bombardeo de rayos X. Recorrí las dependencias del fondo, imaginando los movimientos y métodos que suelen emplearse para obtener radiografías del pecho, de la boca del estómago y de mama. Me situé ante los aparatos y abrí uno de los manuales que había cogido del coche.

Comparé los diagramas con los contadores y cuadrantes de los aparatos radioscópicos. Coincidían más o menos. Había alguna diferencia aquí y allá, en relación con el año, la marca y el modelo de los aparatos. Según cómo se mirasen, parecían salidos de una película de ciencia ficción. Una especie de casco cónico unido a un brazo articulado. Con el manual abierto y las páginas apretadas contra el pecho, me quedé mirando la camilla y el delantal de material plúmbeo que parecía el babero de un niño gigante. Pensé en los rayos X con que me habían bombardeado el brazo izquierdo hacía dos meses, a raíz del disparo.

No se me ocurrió de pronto la idea. Más bien se formó a mi alrededor, como un polvillo mágico que adquiriese forma poco a poco. Bobby había estado allí solo, igual que yo. Había buscado noche tras noche el arma con las huellas dactilares de Nola. Bobby sabía quién la había escondido, por lo tanto era muy probable que se formulara alguna hipótesis sobre el escondrijo. La lógica me insinuaba que había encontrado la pistola y que por eso lo habían matado. Puede que incluso se la hubiera llevado, pero pensaba que no. Mis movimientos se habían basado en la suposición de que seguía escondida en aquel lugar y de que había posibilidades de encontrarla. Bobby había tomado un par de apuntes personales, había garabateado el número identificador de un cadáver en el cuaderno rojo y en las páginas de un manual de radiología que había comprado.

Las frases que me bailoteaban sueltas en la cabeza empezaron a empalmarse. Hay que radiografiar el cadáver, me dije. A lo mejor es lo que hizo Bobby y por eso apuntó el número a lápiz en el libro de radiología. Puede que la pistola esté *dentro* del cadáver. Medité unos segundos y no encontré ningún motivo para no hacerlo. Lo peor que podía ocurrir (aparte de que me cogieran) era que al final llegase a la conclusión de que había perdido el tiempo y hecho el ridículo. No sería la primera vez.

Dejé el bolso y los manuales en una de las camillas y entré en la cámara frigorífica de los cadáveres. Vi una camilla de ruedas pegada a la pared de la derecha. Había enchufado ya el piloto automático y me limitaba a hacer lo que sabía que tenía que hacer. Alfie Leadbetter seguía sin dar señales de vida, o sea que nadie iba a echarme una mano. Puede que me equivocara, pero cabía la posibilidad de que nadie se hubiera dado cuenta de mi llegada. El edificio estaba vacío. Aún era temprano. El muerto no iba a quejarse si lo bombardeaba con rayos X.

Empujé la camilla hasta la litera donde yacía el cadáver. Fingí que trabajaba de empleada en el depósito. Fingí que era una experta en radiología, una enfermera, una profesional responsable que tiene una misión que cumplir.

—Siento molestarte, Frank —dije—, pero tengo que llevarte aquí al lado para someterte a una revisión. Tienes mal aspecto, chico.

Pasé una mano bajo la nuca de Frank y otra por debajo de las rodillas, tiré hacia mí y lo instalé en la camilla. Pesaba menos que una pluma, estaba frío y tenía la carne tan sólida como esas bandejas de pechugas de pollo que venden en los supermercados. Hostia, me dije, pero ¿por qué me atormento con estas imágenes de la vida cotidiana? A este paso, nunca iba a tener ganas de aprender a cocinar.

Tuve que hacer un sinfín de maniobras para pasar del depósito al pasillo, de aquí a la zona de recepción del departamento de radiología, y de dicha zona a uno de los gabinetes del fondo. Pegué la camilla en sentido paralelo a la cama del aparato radioscópico y cambié de sitio el cadáver. Bajé y subí el foco cónico un par de veces, para probarlo, y lo deslicé por los raíles del techo hasta que quedó sobre el abdomen de Franklin. Minutos más tarde tendría que adivinar a qué distancia del cadáver había que situarlo. Como mi intención era radiografiarlo y dar constancia fotográfica del hecho, me dije que lo primero y principal era encontrar la película que sirviera para tales menesteres.

Busqué en los cuatro armarios del gabinete, pero sin encontrar nada. Recorrí la estancia. Había una especie de cómoda de poca profundidad empotrada en la pared, igual que una caja de fusibles de dos portezuelas. Sobre una portezuela había un trozo de cinta adhesiva en la que se había escrito con bolígrafo la palabra *reveladas*. En otro trozo de cinta se había escrito *sin revelar*. Abrí esta portezuela. Vi varias casetes de distintos tamaños, amontonadas como si fueran cajas de bombones. Cogí una.

Volví junto a la cama y observé la distribución de las piezas del aparato radioscópico. No había forma de meter la casete en el cacharro que pendía sobre la cama, pero entonces vi una especie de estuche deslizable en la cama misma, bajo el borde almohadillado. Tiré del estuche e introduje la casete. Esperaba no equivocarme a propósito de la cara, que tenía que estar hacia arriba. A mí me pareció que estaba bien. A lo mejor salía de allí hecha una experta y me ponía a trabajar en aquello.

Supuse que Franklin no necesitaría protección de ninguna clase, así que me puse yo el delantal de material plúmbeo y que me llegaba hasta los pies. Me sentí como si jugara de portero en un partido de hockey sobre patines. En realidad no había visto nunca a ningún radiólogo que para accionar el aparato se pusiera un delantal como aquel, pero así me sentía más segura. Enfoqué con el casco cónico el estómago de Franklin, aproximadamente a un metro de altura, y me situé tras la pantalla que había en un rincón.

Miré otra vez el manual y estuve pasando páginas hasta que di con unos diagramas que me parecieron del caso. Había muchos contadores con la flechita inmóvil y lista para saltar a la zona verde, amarilla o roja, según el conmutador que se accionara. A la derecha había una palanca con la indicación «suministro de electricidad», la moví y la coloqué en la posición de «encendido». No ocurrió nada. Desconcierto. Intriga. Puse la palanca en «apagado» y revisé la pared de mi izquierda. En ella había dos cajas de interruptores con dos conmutadores de gran tamaño que puse en «encendido». Oí el zumbido de la energía eléctrica. Volví a poner la palanca en «encendido». El aparato se iluminó. Sonreí. Qué cojonuda es la ciencia.

Observé el panel que tenía delante. Vi un cronómetro que al parecer iba de 1/120 de segundo hasta seis segundos. Un contador de kilovoltios. Otro que decía «miliamperios». Joder, y tres filas de ventanillas verdes e iluminadas, a elegir. Empecé poniéndolo todo a media potencia, pensando que podía servirme de un contador para controlar y que ajustaría los otros dos en una especie de sistema rotativo. Mientras, plasmaría en la película el resultado de mis esfuerzos y comprobaría las imágenes que obtuviera.

Aún detrás de la pantalla, asomé la cabeza.

–Empezamos, Frank. Llénate los pulmones y contén la respiración.

Lo de contener la respiración por lo menos lo hizo divinamente.

Apreté el botón que había en el mango. Oí un zumbido breve. Asomé la cabeza con precaución, como si los rayos X estuvieran paseándose todavía por el gabinete. Me acerqué a la cama y cogí la casete. Y ahora ¿qué? Tenía que haber alguna forma de revelar la cinta, aunque no vi nada útil a este fin. Dejé el aparato encendido y me puse a buscar por los gabinetes adjuntos con la casete en la mano.

En una estancia próxima vi algo que me pareció ideal. Había en la pared un organigrama que representaba gráficamente, una por una, las etapas a seguir en el revelado de las placas. Lo dicho: cuando acabara aquel caso, me metía a trabajar en el hospital.

Tuve que conectar la electricidad otra vez. Me puse a trabajar a la luz mortecina de los pilotos rojos, sin prisas, y haciendo cada cosa en su momento. Llené de agua el recipiente empotrado, según se indicaba en el organigrama. Di la vuelta a la casete, levanté la pestaña y saqué la cinta, que puse en la bandeja. Desapareció en el interior de la máquina sin el menor ruido.

¿Dónde se metería, copón? Por ninguna parte veía nada que me indicara que se estaba revelando una película. Me sentí igual que una gatita que se queda mirando con atención científica lo que le sucede a una pelota cuando, rodando, rodando, va a parar debajo del sofá. Abandoné la estancia y pasé a la contigua. El extremo posterior de la máquina de revelar estaba allí, maciza, como una fotocopiadora inmensa y provista de una ranura. Esperé. Minuto y medio más tarde asomó un fragmento de cinta. Contemplé mi obra. Todo estaba negro como boca de lobo. ¿En qué me había equivocado, hostia? Había tomado muchas precauciones, era imposible que se hubiese velado. Me quedé mirando la máquina de revelar. La tapa estaba entreabierta. Miré por la ranura. La apreté para ver qué pasaba. Se cerró con un chasquido. A lo mejor iba así.

Regresé al gabinete, cogí otra casete y repetí las operaciones desde el principio. Al caer el telón del segundo acto encontré lo que buscaba. La calidad de la radiografía era mala, pero el objeto de mis afanes resaltaba con claridad. En el centro del estómago de Franklin se veía el marcado perfil blanco de una pistola. Parecía una automática de buen tamaño y estaba colocada en oblicuo, tal vez para acomodarse a la estructura ósea o a la posición de los órganos del cadáver. Había algo escalofriante en la imagen. Enrollé la radiografía y la aseguré con una goma elástica. Había llegado el momento de largarse.

Apagué los aparatos, puse a Franklin en la camilla y fui apagando luces y cerrando puertas a medida que avanzaba.

Recorrí el pasillo y entré en el depósito. Estaba poniendo a Franklin en su litera cuando algo me llamó la atención. Me quedé mirando la serie de literas que había al lado. Una mano masculina colgaba a la altura de mis ojos y no me gustó su aspecto. Los cadáveres que había visto estaban totalmente pálidos y tenían la carne igual que la de una muñeca de goma, elástica e irreal. Aquella mano era demasiado sonrosada. Advertí entonces que el cadáver apenas estaba cubierto por el plástico. ¿Había estado allí antes? Me acerqué y alargué la mano con aprensión. Creo que emití esos ruiditos que se producen cuando se está a punto de lanzar un aullido, pero sin decidirse aún del todo.

Le aparté el plástico de la cara con mano temblorosa. Hombre, blanco, veintitantos años. No le encontré el pulso, pero sin duda porque alrededor del cuello tenía una cuerda tan apretada que casi no se veía, tan hundida en la carne que la lengua le sobresalía de la boca. Estaba frío, pero no helado. Contuve el aliento. Creo que el corazón se me detuvo también. Acababa de conocer al difunto Alfie Leadbetter, de eso estaba más que convencida. Pero en aquel momento no me preocupaba quién lo había matado, sino quién me había abierto la puerta. Estaba segura de que no había sido Alf. De pronto me di cuenta de que había estado paseándome por el edificio vacío en compañía de un asesino que sin lugar a dudas seguía allí, esperando a ver qué hacía yo, esperando para hacer conmigo lo que había hecho con el desdichado empleado del depósito que se había cruzado en su camino.

Salí del depósito lo más aprisa que pude y con el corazón disparado y soltándome descargas de miedo por todo el cuerpo. El depósito estaba iluminado y hasta cierto punto era seguro, pero reinaba en él un silencio de muerte.

Me tracé mentalmente una ruta de escape mientras repasaba mis posibilidades. Las ventanas del sótano estaban protegidas por rejas con demasiados barrotes para deslizarme entre ellos. Y las puertas que las cerraban eran de un vidrio grueso y defendido por una tela metálica que ignoraba si podría traspasar. Estaba claro que no podía abrirme paso a base de golpes sin llamar la atención. No tenía más remedio que optar por las escaleras para salir por la misma puerta doble que había cruzado al entrar en el edificio, pero la idea de salir en aquel momento, aunque sólo fuera al pasillo, me resultaba insoportable.

Oí un portazo en algún punto de la planta baja y di un respingo. Alguien bajaba las escaleras, silbando con despreocupación. ¿Un guardia jurado? ¿Alguien que regresaba al acabar la jornada laboral? No podía arriesgarme a mover ni un músculo. Era demasiado tarde para la acción, demasiado tarde para huir y no había ningún sitio para esconderme. Paralizada, me quedé mirando la puerta mientras oía acercarse los pasos. Quien los producía hizo un alto en el pasillo y se puso a tararear el principio de una canción de los hermanos Gershwin, *Someone to Watch over Me* [«Alguien que vele por mí»]. Vi que se movía el tirador de la puerta y apareció el doctor Fraker, que se sobresaltó al descubrirme.

—Ah, hola. No esperaba encontrármela aquí —dijo—. Creí que había ido a hablar con Kelly.

Expulsé el aire que retenía en los pulmones y respondí con toda la claridad que pude.

—Ya lo hice. Hace un rato.

—Pero ¿qué le ocurre, caramba? Está usted pálida como un muerto.

Cabeceé.

—Ya me iba, pero oí un portazo. Me ha dado usted un susto de muerte. —La voz se me quebró a mitad de frase, como si acabara de entrar en la pubertad.

—Lo siento. No era mi intención asustarla. —Llevaba puesta la bata verde de cirujano. Vi que se acercaba al mostrador, abría un cajón y sacaba algunos instrumentos. Del cajón inferior cogió una ampolla y una jeringuilla.

—Ha surgido un problema, ¿sabe?

—¿Sí? No me diga. —Se volvió para sonreírme y en aquel momento recordé con claridad un comentario que había hecho Nola. «Hay por medio un loco. Una persona que no está en sus cabales», me había dicho entre murmullos. El doctor Fraker tenía los ojos clavados en los míos mientras llenaba la jeringuilla. De repente comprendí de qué iba toda la película. El deseo de Nola no había sido perpetuar aquel matrimonio, sino acabar con él. Y el ingenuo de Bobby había creído que le ayudaba.

Lo leí en la cara de Fraker, en la parsimonia con que se movía. Aquel hombre quería matarme. Estaba claro, a juzgar por el instrumental que había cogido del cajón y los accesorios de que disponía: una bonita mesa de disección con sistema de drenaje, serruchos para cortar metales, bisturíes y una trituradora de desperdicios debajo mismo del fregadero. Además, sabía anatomía, sabía dónde estaban todos los tendones y ligamentos. Recordé lo que pasaba con los alones de pavo y cómo había que doblarlos hacia arriba para que el cuchillo penetrara en la articulación.

Suelo gritar cuando tengo miedo y notaba que las lágrimas estaban a punto de saltárseme. Pero no a causa de la tristeza, sino del horror. A pesar de que a lo largo de mi existencia había contado cientos de mentiras, en aquel momento no se me ocurrió ninguna. Tenía la mente en blanco. La radiografía en la mano. Y la verdad escrita en la frente. No me quedaba otra salida que entrar en acción antes que él y moverme a mayor velocidad.

Me lancé sobre la puerta, giré el tirador, abrí, eché a correr hacia las escaleras y subí los peldaños de dos en dos, de tres en tres, al tiempo que miraba atrás entre gemidos de terror puro. Fraker ya había cruzado la puerta con la jeringuilla en alto. Lo que más me horrorizaba era que se movía con lentitud, como si tuviera todo el tiempo del mundo. Había reanudado la canción donde la había interrumpido con un tarareo discordante que no hacía justicia a los Gershwin:

«*Como una ovejita perdida en el bosque... siempre sería cariñosa... con quien velase por mí...*»

Llegué a la planta baja. ¿Qué sabía él que yo no supiera? ¿Por qué estaba tan tranquilo mientras yo corría hacia la salida? Encogí un hombro y me lancé sobre la puerta doble, pero no cedió ninguna de las dos hojas. Volví a empujarlas. Cerrada como estaba, la entrada era una ratonera. Si le dejaba llegar al pasillo, no tendría escapatoria. Llegué al corredor en el momento en que Fraker salvaba los últimos peldaños.

Tip, tap. Sus pasos resonaban en las baldosas mientras seguía cantando.

«*Puede que las demás no lo encuentren guapo, pero él tendrá la llave de mi corazón...*»

Seguía tan ancho. Me entraron ganas de gritar, pero ¿qué sentido tenía? El edificio estaba vacío. Cerrado a cal y canto. Y totalmente a oscuras, de no ser por la claridad que se filtraba, procedente del parking. Necesitaba un arma. El tenía la jeringuilla con la que quería ponerme fuera de combate. Además, era hombre fornido y me encontraría en dificultades si luchábamos cuerpo a cuerpo.

Corrí por el pasillo hacia la sala donde habían estado antaño los archivos médicos y abrí la puerta con tal ímpetu que protestaron las bisagras. Cogí una tabla del suelo y sin dejar de correr salí otra vez al pasillo, en busca del otro extremo. Tenía que haber alguna escalera. Tenía que haber alguna ventana que romper, alguna salida.

El hombre que no sabía cantar seguía cantando a mis espaldas: «*Dile por favor que se dé prisa, que me busque, oh cuánto necesito que alguien vele por mí...*»

Llegué a las escaleras y empecé a analizar la situación mientras las subía corriendo. A este paso me seguiría por todo el edificio. Yo no tardaría en agotarme y él estaría fresco como una lechuga. No tenía sentido aquella persecución. Llegué al descansillo y me precipité sobre la puerta. Cerrada. Sólo había otra planta más. ¿Estaba acorralándome o conduciéndome a una encerrona? En cualquier caso tenía la sensación de que Fraker dominaba la situación, de que había preparado aquello de antemano.

Comenzó a subir las escaleras y corrí hacia el segundo piso, empuñando aún la tabla con mano temblorosa. No me gustaba aquello. La puerta de la segunda planta se abrió en cuanto giré el pomo y accedí al pasillo bañado en sombras. Tomé el tramo de la derecha y me esforcé por ir más despacio. De tanto subir escaleras estaba sin aliento y bañada en sudor. Pensé en la posibilidad de esconderme, pero no había muchos sitios donde hacerlo. Había habitaciones a ambos lados del pasillo, pero no quería meterme yo misma en la boca del lobo. Para saber dónde estaba le bastaría con mirar las habitaciones una por una. Además, detesto esconderme. Me transformo en una niña de seis años y estoy hasta las narices de esas cosas. Quería estar con los pies en el suelo, en movimiento, preparada para entrar en acción y no agazapada, con las manos en los ojos y pidiendo a Dios que me hiciera invisible.

Doblé otra vez a la derecha. Oí a mis espaldas que se cerraba la puerta del descansillo del segundo piso. Vi un ascensor a mitad de trayecto, a mano derecha. Eché a correr y al llegar apreté el botón de «bajar».

El doctor Fraker había cambiado de canción y ahora silbaba los primeros compases de *I Don't Stand a Ghost of a Chance with You* [«Contigo no tengo ni la posibilidad más remota»]. ¿Estaría enfermo aquel hombre?

Volví a apretar el botón y oí con impaciencia el crujido de los cables al otro lado de la puerta metálica. Me volví hacia la derecha. En esto apareció Fraker, cuyos guantes verdes parecían despedir un resplandor suave en medio de la oscuridad. Oí que se detenía el ascensor. Me pareció que Fraker aceleraba el paso, pero aún estaba a unos veinte metros de distancia. Se abrió la puerta deslizante del ascensor. ¡Me cago en la puta!

En el instante mismo de dar un paso al frente me di cuenta de que no había ascensor, sólo el vacío y una ráfaga de aire fresco que subía de las profundidades. No caí al abismo por un pelo. Lancé un grito gutural mientras me sujetaba al marco de la puerta y agitaba una pierna en el vacío antes de recuperar el equilibrio. Por suerte caí de espaldas, pero había perdido toda la ventaja que le había sacado a mi perseguidor. Había soltado la tabla y ésta se había deslizado por el suelo a cierta distancia. Me puse a gatas y me precipité sobre ella.

Fraker me había dado alcance ya, me cogió por el pelo y me levantó en el instante mismo en que mis dedos se cerraban alrededor de la tabla. Giré para golpearle. Le di, pero de refilón y casi sin fuerza. Sentí el pinchazo de la aguja en el muslo izquierdo. Los dos lanzamos un grito. El mío fue un chillido de dolor y sorpresa, el suyo un gruñido gutural en el momento de recibir el impacto de la tabla. Titubeó durante una décima de segundo y aproveché la oportunidad, soltándole una patada de costado que le alcanzó la espinilla. Mierda, demasiado bajo. Los que enseñan autodefensa saben que no basta con hacer daño al agresor. Así sólo se consigue enfurecerle. O me las arreglaba para reducirle o estaba perdida.

Me sujetó por detrás. Le solté un codazo pero volví a fallar por poco. Lo empujé y empecé a darle puntapiés en la espinilla hasta que retrocedió jadeando. Le aticé en todo el hombro con la tabla y eché a correr. Estuve a punto de caer, pero recuperé el equilibrio. Fue como si metiera el pie en un agujero y se me ocurrió que podía tratarse del efecto de la sustancia que me había inyectado. Tenía floja la pierna izquierda, la rodilla se me doblaba y los pies empezaban a entumecérseme. El mismo miedo que me había regado el organismo con adrenalina aceleraba el efecto de la sustancia inyectada. Como cuando nos muerde una serpiente. Dicen que no hay que correr.

Miré atrás. Fraker acababa de ponerse en movimiento y avanzaba despacio y con la mano en el hombro. Al parecer no le preocupaba que me hubiera zafado de él, lo que me hizo sospechar que había cerrado con antelación la puerta que comunicaba con las escaleras. O era esto, o es que sabía que la mierda que me había inyectado me dejaría fuera de combate muy pronto. Empezaban a dormírseme las piernas y los brazos y apenas notaba la mano con que empuñaba la tabla. Sentía un chorro de frío entre la piel y las entrañas como si me estuvieran congelando a toda velocidad para mandarme Dios sabe adónde. Me esforzaba todo lo que podía, pero la oscuridad se había vuelto de gelatina y me sentía débil. El tiempo se hacía más lento mientras mi organismo reaccionaba ante la presencia de la droga. Aún podía pensar, pero las sensaciones extrañas que notaba me distraían.

Ah, pero cuántos detalles intrigantes encajaban por fin con toda la naturalidad del mundo. Fue como un relámpago, como una burbuja que se corriera por las venas, y comprendí que Fraker era el que suministraba las drogas a Kitty, sin duda a cambio de información sobre la búsqueda de la pistola que había emprendido Bobby. El alijo encontrado en el cajón de la mesita de noche de la joven se había dejado allí adrede. Fraker había estado en la casa aquella noche. Tal vez pensara que había llegado el momento de deshacerse de ella para que no confesara, movida por la culpa, su doble juego en relación con Bobby.

La distancia que había hasta el final de aquel tramo de pasillo se había multiplicado. Llevaba corriendo una eternidad. Las órdenes sencillas que transmitía al resto del cuerpo tardaban demasiado en recibirse y empezaba a fallarme el sistema de realimentación que da constancia de las reacciones. ¿Corría realmente? ¿Me dirigía a alguna parte? Los sonidos se dilataban y el eco de mis propias zancadas me llegaba con retraso. Era como si corriese por un pasillo cuyo suelo fuera igual que esa lona tirante donde dan saltos los acróbatas. Revelación número dos. Fraker había apañado el informe de la autopsia. No había habido ningún ataque. El había cortado los cables del freno. Lástima que no se me hubiera ocurrido antes. Qué ceporra había sido, Señor.

Llegué a la esquina a cámara lenta y sentí que el cuerpo se me plegaba como un acordeón. Tuve que detenerme al doblar aquélla. Me apoyé en la pared jadeando. Tenía que despejarme, que mantenerme en pie, y levantar los brazos si podía. El tiempo se estiraba como si fuera de pegamento, de caramelo líquido, viscoso y de articulación imposible.

Fraker se había puesto a cantar, otra vez, obsequiándome con más éxitos de su lista particular de superventas. Ahora tarareaba *Acentuate the positive, eliminate the negative* [«*Cíñete a lo seguro, suprime lo que no conviene*»], arrastrando las vocales como cuando se para un disco al irse la luz.

Percibía hueca y lejana incluso la voz de mi propio cerebro.

Encógete Kinsey, dijo la voz.

Me pareció que me encogí un poco, pero ya no sabía dónde tenía las piernas, las caderas ni buena parte de la columna vertebral. Los brazos me pesaban una tonelada y no sabía si podía doblarlos o no.

Bateadora en posición, añadió la voz, y obedecí, aunque habría sido incapaz de jurar que empuñaba la tabla otra vez y que doblaba el brazo como me había enseñado mi tía hacía muchos siglos.

El día se convirtió en noche, la vida en muerte.

Fraker se acercaba berreando: «*Cíñeteeeeeee a lo seguuuurooooooo, suprimeeeee lo que no convieeeeeneee...*».

Nada más aparecer por la esquina giré como una peonza, con la tabla derecha hacia su cara. Vi que el madero surcaba el espacio como en una sucesión de fotogramas mientras acortaba distancias. Cuando el madero dio en el blanco oí una especie de taponazo agradable.

La pelota salió del campo de béisbol y caí al suelo entre los vítores y aplausos de la multitud.

Me dijeron más tarde –aunque es poco lo que yo recuerdo– que me las arreglé para bajar otra vez al depósito, donde llamé al 911 y murmuré unas palabras que pusieron en movimiento a la policía. Lo que recuerdo con mayor claridad es la resaca que me produjo el cóctel de barbitúricos que me habían inyectado. Desperté en el hospital, hecha una braga. Pero incluso con la cabeza como un bombo y vomitando en un recipiente de plástico en forma de riñón, estaba contenta de encontrarme otra vez entre los vivos.

Glen me mimó cuanto pudo y todo el mundo fue a verme, Jonah, Rosie, Gus, y también Henry, con *croissants* calentitos. Me contó que Lila le había escrito desde la cárcel, pero que él no se había molestado en responderle. Glen no se echó atrás en ningún momento y siguió sin querer saber nada de Kitty ni de Derek, y yo me las arreglé para que Kitty Wenner y Gus se conocieran. Lo último que supe de ellos es que salían juntos y que Kitty estaba mejorando. Los dos habían engordado.

El doctor Fraker está actualmente en libertad bajo fianza, en espera de que le juzguen por un intento de asesinato y dos homicidios en primer grado. Nola se declaró culpable de homicidio intencionado, pero no fue a la cárcel. Cuando volví al despacho, redacté el informe precedente, al que adjunté una factura por las treinta y tres horas invertidas, más el kilometraje; el total, en números redondos, ascendía a mil dólares. Lo que sobraba del anticipo que me había dado Bobby lo remití al bufete de Varden Talbot para que se sumara a los bienes relictos de aquél. El resto del informe consiste en una carta personal en que básicamente le digo a Bobby que le echo de menos. Espero que, dondequiera que se encuentre, esté rodeado de ángeles, libre y en paz.

Atentamente,
Kinsey Millhone